Neuf nouvelles réalistes

© Éditions Belin/Éditions Gallimard, 2015 pour le choix des textes, l'introduction, les notes et le dossier pédagogique.
170 bis, boulevard du Montparnasse, 75680 Paris cedex 14

ISBN 978-2-7011-9249-9
ISSN 1958-0541

CLASSICOCOLLÈGE

Neuf nouvelles réalistes

MAUPASSANT, MÉRIMÉE, VILLIERS DE L'ISLE-ADAM, ZOLA

**Choix des textes et dossier
par Virginie Manouguian**
Agrégée de lettres modernes

BELIN ■ GALLIMARD

Sommaire

Regards satiriques sur la société du XIXᵉ siècle

Introduction

Au xixe siècle, la nouvelle devient un genre prisé des écrivains et des lecteurs. Grâce au développement de la presse, ces textes brefs sont d'abord publiés dans des journaux avant d'être réunis en recueil et connaissent ainsi un succès considérable auprès d'un large public.

Guy de Maupassant, Prosper Mérimée, Auguste de Villiers de L'Isle-Adam et Émile Zola s'illustrent dans ce genre qui acquiert grâce à eux ses lettres de noblesse. Ces auteurs, précurseurs ou héritiers du mouvement artistique du réalisme, entendent retranscrire aussi fidèlement que possible la réalité de leur monde, qu'elle soit géographique, sociale ou psychologique. Plongés dans une société en pleine mutation, ils s'attachent à en peindre, de façon souvent ironique et satirique, les misères, les violences et les victimes avec une finesse et une pertinence qui restent d'une remarquable actualité.

Découvrez sans plus attendre ces neuf récits, dont l'intensité tragique et les chutes inattendues vous surprendront!

Affaires de famille

Mateo Falcone
Prosper Mérimée

Prosper Mérimée (1803-1870) est un des premiers écrivains du
XIXᵉ siècle à publier des nouvelles. *Mateo Falcone*, qui paraît dans
La Revue de Paris du 3 mai 1829, témoigne de son intérêt pour la
Corse, île dont le pittoresque et la tradition de l'honneur ne cesse-
ront de fasciner les artistes réalistes.

En sortant de Porto-Vecchio[1] et se dirigeant au nord-ouest, vers
l'intérieur de l'île, on voit le terrain s'élever assez rapidement,
et après trois heures de marche par des sentiers tortueux[2], obstrués[3] par de gros quartiers de rocs, et quelquefois coupés par
5   des ravins, on se trouve sur le bord d'un *maquis*[4] très étendu.
Le maquis est la patrie des bergers corses et de quiconque s'est
brouillé avec la justice. Il faut savoir que le laboureur corse,
pour s'épargner la peine de fumer son champ[5], met le feu à une
certaine étendue de bois : tant pis si la flamme se répand plus
10   loin que besoin n'est ; arrive que pourra ; on est sûr d'avoir une
bonne récolte en semant sur cette terre fertilisée par les cendres
des arbres qu'elle portait. Les épis enlevés, car on laisse la paille
qui donnerait de la peine à recueillir, les racines qui sont restées
en terre sans se consumer poussent au printemps suivant des

---

1. **Porto-Vecchio** : port du sud-est de la Corse.
2. **Tortueux** : qui font des détours.
3. **Obstrués** : bouchés.
4. *Maquis* : végétation dense typique des régions méditerranéennes.
5. **Fumer son champ** : épandre du fumier sur sa terre pour la rendre plus fertile.

15 cépées[1] très épaisses qui, en peu d'années, parviennent à une
hauteur de sept ou huit pieds[2]. C'est cette manière de taillis
fourré que l'on nomme maquis. Différentes espèces d'arbres et
d'arbrisseaux le composent, mêlés et confondus comme il plaît à
Dieu. Ce n'est que la hache à la main que l'homme s'y ouvrirait
20 un passage, et l'on voit des maquis si épais et si touffus que les
mouflons[3] eux-mêmes ne peuvent y pénétrer.

Si vous avez tué un homme, allez dans le maquis de Porto-Vecchio,
et vous y vivrez en sûreté, avec un bon fusil, de la poudre et des
balles ; n'oubliez pas un manteau brun garni d'un capuchon[4],
25 qui sert de couverture et de matelas. Les bergers vous donnent
du lait, du fromage et des châtaignes, et vous n'aurez rien à
craindre de la justice ou des parents du mort, si ce n'est quand il
vous faudra descendre à la ville pour y renouveler vos munitions.

Mateo Falcone, quand j'étais en Corse en 18..., avait sa maison
30 à une demi-lieue[5] de ce maquis. C'était un homme assez riche
pour le pays ; vivant noblement, c'est-à-dire sans rien faire, du
produit de ses troupeaux, que des bergers, espèces de nomades[6],
menaient paître çà et là sur les montagnes. Lorsque je le vis, deux
années après l'événement que je vais raconter, il me parut âgé
35 de cinquante ans tout au plus. Figurez-vous un homme petit,
mais robuste, avec des cheveux crépus[7], noirs comme le jais[8], un
nez aquilin[9], les lèvres minces, les yeux grands et vifs, et un teint
couleur de revers[10] de botte. Son habileté au tir du fusil passait
pour extraordinaire, même dans son pays, où il y a tant de bons

---

1. Cépées : jeunes tiges renaissant d'une souche.
2. Pieds : ancienne unité de mesure de longueur équivalant à environ 30 centimètres.
3. Mouflons : moutons sauvages vivant dans les régions montagneuses.
4. Capuchon* : *pilone* [en corse]. Toutes les notes accompagnées d'un astérisque sont
de Prosper Mérimée.
5. Lieue : ancienne unité de mesure de longueur équivalant à environ 4 kilomètres.
6. Nomades : personnes sans domicile fixe, qui se déplacent constamment.
7. Crépus : frisés en touffes très serrées.
8. Jais : pierre d'un noir très sombre.
9. Aquilin : fin et recourbé en bec d'aigle.
10. Revers : bande en cuir rabattue en haut d'une botte.

40 tireurs. Par exemple, Mateo n'aurait jamais tiré sur un mouflon avec des chevrotines[1]; mais, à cent vingt pas, il l'abattait d'une balle dans la tête ou dans l'épaule, à son choix. La nuit, il se servait de ses armes aussi facilement que le jour, et l'on m'a cité de lui ce trait d'adresse qui paraîtra peut-être incroyable à qui n'a pas

45 voyagé en Corse. À quatre-vingts pas, on plaçait une chandelle allumée derrière un transparent de papier, large comme une assiette. Il mettait en joue[2], puis on éteignait la chandelle, et, au bout d'une minute dans l'obscurité la plus complète, il tirait et perçait le transparent trois fois sur quatre.

50 Avec un mérite aussi transcendant[3] Mateo Falcone s'était attiré une grande réputation. On le disait aussi bon ami que dangereux ennemi: d'ailleurs serviable et faisant l'aumône[4], il vivait en paix avec tout le monde dans le district de Porto-Vecchio. Mais on contait de lui qu'à Corte[5], où il avait pris femme, il s'était

55 débarrassé fort vigoureusement d'un rival qui passait pour aussi redoutable en guerre qu'en amour: du moins on attribuait à Mateo certain coup de fusil qui surprit ce rival comme il était à se raser devant un petit miroir pendu à sa fenêtre. L'affaire assoupie[6], Mateo se maria. Sa femme Giuseppa lui avait donné

60 d'abord trois filles (dont il enrageait[7]), et enfin un fils, qu'il nomma Fortunato: c'était l'espoir de sa famille, l'héritier du nom. Les filles étaient bien mariées: leur père pouvait compter au besoin sur les poignards et les escopettes[8] de ses gendres. Le fils n'avait que dix ans, mais il annonçait déjà d'heureuses

65 dispositions[9].

---

1. **Chevrotines**: munitions utilisées pour la chasse au gros gibier.
2. **Mettait en joue**: ajustait son fusil pour viser.
3. **Transcendant**: ici, extraordinaire.
4. **Faisant l'aumône**: donnant de l'argent aux pauvres.
5. **Corte**: ville du centre de la Corse.
6. **L'affaire assoupie**: une fois l'affaire oubliée.
7. **Dont il enrageait**: ce dont il était fortement contrarié (car il espérait un garçon).
8. **Escopettes**: armes à feu de petite taille.
9. **Dispositions**: capacités.

Un certain jour d'automne, Mateo sortit de bonne heure avec sa femme pour aller visiter un de ses troupeaux dans une clairière du maquis. Le petit Fortunato voulait l'accompagner, mais la clairière était trop loin ; d'ailleurs, il fallait bien que quelqu'un
70 restât pour garder la maison ; le père refusa donc : on verra s'il n'eut pas lieu de s'en repentir[1].

Il était absent depuis quelques heures et le petit Fortunato était tranquillement étendu au soleil, regardant les montagnes bleues, et pensant que, le dimanche prochain, il irait dîner à
75 la ville, chez son oncle le *caporal*[2], quand il fut soudainement interrompu dans ses méditations par l'explosion d'une arme à feu. Il se leva et se tourna du côté de la plaine d'où partait ce bruit. D'autres coups de fusil se succédèrent, tirés à intervalles inégaux, et toujours de plus en plus rapprochés ; enfin, dans
80 le sentier qui menait de la plaine à la maison de Mateo parut un homme, coiffé d'un bonnet pointu comme en portent les montagnards, barbu, couvert de haillons[3], et se traînant avec peine en s'appuyant sur son fusil. Il venait de recevoir un coup de feu dans la cuisse.

85 Cet homme était un bandit[4], qui étant parti de nuit pour aller chercher de la poudre à la ville, était tombé en route dans une embuscade de voltigeurs corses[5]. Après une vigoureuse défense, il était parvenu à faire sa retraite[6], vivement poursuivi et tiraillant

---

1. S'il n'eut pas lieu de s'en repentir : s'il ne devait pas le regretter.
2. *Caporal** : les caporaux furent autrefois des chefs que se donnèrent les communes corses quand elles s'insurgèrent contre les seigneurs féodaux. Aujourd'hui, on donne encore quelquefois ce nom à un homme qui, par ses propriétés, ses alliances et sa clientèle, exerce une influence et une sorte de magistrature effective sur une *pieve* ou un canton. Les Corses se divisent, par une ancienne habitude, en cinq castes : les *gentils-hommes* (dont les uns sont *magnifiques*, les autres *signori*), les *caporali*, les *citoyens*, les *plébéiens* et les *étrangers*.
3. Haillons : vêtements en loques, guenilles.
4. Bandit* : ce mot est ici synonyme de proscrit. (Cet homme s'est donc mis hors la loi, il est poursuivi pour des raisons politiques ou judiciaires.)
5. Voltigeurs corses* : c'est un corps levé depuis peu d'années par le gouvernement et qui sert concurremment avec la gendarmerie au maintien de la police.
6. Faire sa retraite : s'échapper.

de rocher en rocher. Mais il avait peu d'avance sur les soldats
90 et sa blessure le mettait hors d'état de gagner le maquis avant
d'être rejoint.

Il s'approcha de Fortunato et lui dit :

« Tu es le fils de Mateo Falcone ?

– Oui.

95 – Moi, je suis Gianetto Sanpiero. Je suis poursuivi par les collets
jaunes[1]. Cache-moi, car je ne puis aller plus loin.

– Et que dira mon père si je te cache sans sa permission ?

– Il dira que tu as bien fait.

– Qui sait ?

100 – Cache-moi vite ; ils viennent.

– Attends que mon père soit revenu.

– Que j'attende ? malédiction ! Ils seront ici dans cinq minutes.
Allons, cache-moi, ou je te tue. »

Fortunato lui répondit avec le plus grand sang-froid :

105 « Ton fusil est déchargé, et il n'y a plus de cartouches dans ta
carchera[2].

– J'ai mon stylet[3].

– Mais courras-tu aussi vite que moi ? »

Il fit un saut, et se mit hors d'atteinte.

110 « Tu n'es pas le fils de Mateo Falcone ! Me laisseras-tu donc
arrêter devant ta maison ? »

L'enfant parut touché.

« Que me donneras-tu si je te cache ? » dit-il en se rapprochant.

Le bandit fouilla dans une poche de cuir qui pendait à sa
115 ceinture, et il en tira une pièce de cinq francs qu'il avait réservée
sans doute pour acheter de la poudre. Fortunato sourit à la vue
de la pièce d'argent ; il s'en saisit, et dit à Gianetto :

---

1. Collets jaunes* : l'uniforme des voltigeurs était alors un habit brun avec un collet
jaune.
2. Carchera* : ceinture de cuir qui sert de giberne et de portefeuille. La giberne est
une boîte servant à ranger les cartouches.
3. Stylet : poignard à lame fine.

« Ne crains rien. »

Aussitôt il fit un grand trou dans un tas de foin placé auprès de
120 la maison. Gianetto s'y blottit, et l'enfant le recouvrit de manière à
lui laisser un peu d'air pour respirer, sans qu'il fût possible cependant de soupçonner que ce foin cachât un homme. Il s'avisa, de
plus, d'une finesse[1] de sauvage assez ingénieuse[2]. Il alla prendre
une chatte et ses petits, et les établit sur le tas de foin pour faire
125 croire qu'il n'avait pas été remué depuis peu. Ensuite, remarquant
des traces de sang sur le sentier près de la maison, il les couvrit
de poussière avec soin, et cela fait, il se recoucha au soleil avec
la plus grande tranquillité.

Quelques minutes après, six hommes en uniforme brun à collet
130 jaune, et commandés par un adjudant[3], étaient devant la porte de
Mateo. Cet adjudant était quelque peu parent de Falcone. (On
sait qu'en Corse on suit les degrés de parenté beaucoup plus loin
qu'ailleurs.) Il se nommait Tiodoro Gamba : c'était un homme
actif, fort redouté des bandits dont il avait déjà traqué plusieurs.

135 « Bonjour, petit cousin, dit-il à Fortunato en l'abordant ; comme
te voilà grandi ! As-tu vu passer un homme tout à l'heure ?

— Oh ! je ne suis pas encore si grand que vous, mon cousin,
répondit l'enfant d'un air niais.

— Cela viendra. Mais n'as-tu pas vu passer un homme, dis-moi ?
140 — Si j'ai vu passer un homme ?

— Oui, un homme avec un bonnet pointu en velours noir, et
une veste brodée de rouge et de jaune ?

— Un homme avec un bonnet pointu, et une veste brodée de
rouge et de jaune ?
145 — Oui, réponds vite, et ne répète pas mes questions.

---

1. **Finesse** : ruse.
2. **Ingénieuse** : habile.
3. **Adjudant** : officier d'un corps armé.

– Ce matin, M. le curé est passé devant notre porte, sur son cheval Piero. Il m'a demandé comment papa se portait, et je lui ai répondu…

– Ah! petit drôle, tu fais le malin! Dis-moi vite par où est passé
150 Gianetto, car c'est lui que nous cherchons; et, j'en suis certain, il a pris par ce sentier.

– Qui sait?

– Qui sait? C'est moi qui sais que tu l'as vu.

– Est-ce qu'on voit les passants quand on dort?

155 – Tu ne dormais pas, vaurien; les coups de fusil t'ont réveillé.

– Vous croyez donc, mon cousin, que vos fusils font tant de bruit? L'escopette de mon père en fait bien davantage.

– Que le diable te confonde[1], maudit garnement! Je suis bien sûr que tu as vu le Gianetto. Peut-être même l'as-tu caché. Allons,
160 camarades, entrez dans cette maison, et voyez si notre homme n'y est pas. Il n'allait plus que d'une patte, et il a trop de bon sens, le coquin, pour avoir cherché à gagner le maquis en clopinant[2]. D'ailleurs, les traces de sang s'arrêtent ici.

– Et que dira papa? demanda Fortunato en ricanant; que dira-t-il
165 s'il sait qu'on est entré dans sa maison pendant qu'il était sorti?

– Vaurien! dit l'adjudant Gamba en le prenant par l'oreille, sais-tu qu'il ne tient qu'à moi de te faire changer de note[3]? Peut-être qu'en te donnant une vingtaine de coups de plat[4] de sabre tu parleras enfin.»

170 Et Fortunato ricanait toujours.

«Mon père est Mateo Falcone! dit-il avec emphase[5].

– Sais-tu bien, petit drôle, que je puis t'emmener à Corte ou à Bastia[6]. Je te ferai coucher dans un cachot, sur la paille, les fers

---

1. **Que le diable te confonde**: sois maudit.
2. **En clopinant**: en boitant.
3. **Changer de note**: changer d'attitude.
4. **Plat**: partie plate de la lame.
5. **Emphase**: exagération prétentieuse.
6. **Bastia**: ville du nord-est de la Corse où se trouvait alors une prison.

aux pieds, et je te ferai guillotiner[1] si tu ne dis où est Gianetto
175 Sanpiero.»

L'enfant éclata de rire à cette ridicule menace. Il répéta:

«Mon père est Mateo Falcone!

– Adjudant, dit tout bas un des voltigeurs, ne nous brouillons
pas avec Mateo.»

180 Gamba paraissait évidemment embarrassé. Il causait à voix
basse avec ses soldats, qui avaient déjà visité toute la maison. Ce
n'était pas une opération fort longue, car la cabane d'un Corse
ne consiste qu'en une seule pièce carrée. L'ameublement se
compose d'une table, de bancs, de coffres et d'ustensiles de
185 chasse ou de ménage. Cependant le petit Fortunato caressait
sa chatte, et semblait jouir malignement[2] de la confusion des
voltigeurs et de son cousin.

Un soldat s'approcha du tas de foin. Il vit la chatte, et donna
un coup de baïonnette dans le foin avec négligence, et haussant
190 les épaules comme s'il sentait que sa précaution était ridicule.
Rien ne remua; et le visage de l'enfant ne trahit pas la plus
légère émotion.

L'adjudant et sa troupe se donnaient au diable[3]; déjà ils regardaient sérieusement du côté de la plaine, comme disposés à s'en
195 retourner par où ils étaient venus, quand leur chef, convaincu
que les menaces ne produiraient aucune impression sur le fils
de Falcone, voulut faire un dernier effort et tenter le pouvoir
des caresses et des présents.

«Petit cousin, dit-il, tu me parais un gaillard bien éveillé! Tu
200 iras loin. Mais tu joues un vilain jeu avec moi; et, si je ne craignais
de faire de la peine à mon cousin Mateo, le diable m'emporte!
je t'emmènerais avec moi.

– Bah!

---

1. **Guillotiner**: couper la tête.
2. **Jouir malignement**: profiter malicieusement.
3. **Se donnaient au diable**: désespéraient.

– Mais, quand mon cousin sera revenu, je lui conterai l'affaire, et,
205 pour ta peine d'avoir menti, il te donnera le fouet jusqu'au sang.

– Savoir?[1]

– Tu verras… Mais tiens… sois brave garçon, et je te donnerai
quelque chose.

– Moi, mon cousin, je vous donnerai un avis: c'est que, si vous
210 tardez davantage, le Gianetto sera dans le maquis, et alors il
faudra plus d'un luron[2] comme vous pour aller l'y chercher. »

L'adjudant tira de sa poche une montre d'argent qui valait
bien dix écus[3]; et, remarquant que les yeux du petit Fortunato
étincelaient en la regardant, il lui dit en tenant la montre sus-
215 pendue au bout de sa chaîne d'acier:

« Fripon! tu voudrais bien avoir une montre comme celle-ci
suspendue à ton col, et tu te promènerais dans les rues de Porto-
Vecchio, fier comme un paon; et les gens te demanderaient:
"Quelle heure est-il?" et tu leur dirais: "Regardez à ma montre."

220 – Quand je serai grand, mon oncle le caporal me donnera
une montre.

– Oui; mais le fils de ton oncle en a déjà une… pas aussi belle
que celle-ci, à la vérité… Cependant il est plus jeune que toi. »

L'enfant soupira.

225 « Eh bien, la veux-tu cette montre, petit cousin? »

Fortunato, lorgnant[4] la montre du coin de l'œil, ressemblait à
un chat à qui l'on présente un poulet tout entier. Et comme il sent
qu'on se moque de lui, il n'ose y porter la griffe, et de temps en
temps il détourne les yeux pour ne pas s'exposer à succomber[5]
230 à la tentation; mais il se lèche les babines à tout moment, il a
l'air de dire à son maître: « Que votre plaisanterie est cruelle! »

---

1. Savoir?: qu'en savez-vous?
2. Luron: personne vigoureuse et déterminée.
3. Écus: ancienne monnaie.
4. Lorgnant: regardant avec envie.
5. Succomber: ne pas résister, céder.

Cependant l'adjudant Gamba semblait de bonne foi en présentant sa montre. Fortunato n'avança pas la main ; mais il lui dit avec un sourire amer :

235 « Pourquoi vous moquez-vous de moi ?[1]

– Par Dieu ! je ne me moque pas. Dis-moi seulement où est Gianetto, et cette montre est à toi. »

Fortunato laissa échapper un sourire d'incrédulité[2] ; et, fixant ses yeux noirs sur ceux de l'adjudant, il s'efforçait d'y lire la foi[3]

240 qu'il devait avoir en ses paroles.

« Que je perde mon épaulette, s'écria l'adjudant, si je ne te donne pas la montre à cette condition ! Les camarades sont témoins ; et je ne puis m'en dédire[4]. »

En parlant ainsi, il approchait toujours la montre, tant qu'elle

245 touchait presque la joue pâle de l'enfant. Celui-ci montrait bien sur sa figure le combat que se livraient en son âme la convoitise[5] et le respect dû à l'hospitalité. Sa poitrine nue se soulevait avec force, et il semblait près d'étouffer. Cependant la montre oscillait[6], tournait, et quelquefois lui heurtait le bout du nez.

250 Enfin, peu à peu, sa main droite s'éleva vers la montre : le bout de ses doigts la toucha ; et elle pesait tout entière dans sa main sans que l'adjudant lâchât pourtant le bout de la chaîne… Le cadran était azuré[7]… la boîte nouvellement fourbie[8]… au soleil, elle paraissait toute de feu… La tentation était trop forte.

255 Fortunato éleva aussi sa main gauche, et indiqua du pouce, par-dessus son épaule, le tas de foin auquel il était adossé. L'adjudant le comprit aussitôt. Il abandonna l'extrémité de la chaîne ; Fortunato se sentit seul possesseur de la montre. Il se leva avec

---

1. Perchè me c… * : l'original, en corse, est plus grossier.
2. Incrédulité : doute, défiance.
3. Foi : confiance.
4. Je ne puis m'en dédire : je ne peux pas revenir sur ma promesse.
5. Convoitise : désir intense de posséder quelque chose.
6. Oscillait : se balançait.
7. Azuré : bleu azur.
8. Fourbie : astiquée.

l'agilité d'un daim[1], et s'éloigna de dix pas du tas de foin, que
260 les voltigeurs se mirent aussitôt à culbuter[2].

On ne tarda pas à voir le foin s'agiter; et un homme sanglant,
le poignard à la main, en sortit; mais, comme il essayait de se
lever en pieds, sa blessure refroidie ne lui permit plus de se tenir
debout. Il tomba. L'adjudant se jeta sur lui et lui arracha son
265 stylet. Aussitôt on le garrotta[3] fortement malgré sa résistance.

Gianetto, couché par terre et lié comme un fagot[4], tourna la
tête vers Fortunato qui s'était rapproché.

« Fils de… ! » lui dit-il avec plus de mépris que de colère.

L'enfant lui jeta la pièce d'argent qu'il en avait reçue, sentant
270 qu'il avait cessé de la mériter; mais le proscrit[5] n'eut pas l'air de
faire attention à ce mouvement. Il dit avec beaucoup de sang-
froid à l'adjudant:

« Mon cher Gamba, je ne puis marcher; vous allez être obligé
de me porter à la ville.

275 – Tu courais tout à l'heure plus vite qu'un chevreuil, repartit[6]
le cruel vainqueur; mais sois tranquille: je suis si content de te
tenir, que je te porterais une lieue sur mon dos sans être fati-
gué. Au reste, mon camarade, nous allons te faire une litière[7]
avec des branches et ta capote[8]; et à la ferme de Crespoli nous
280 trouverons des chevaux.

– Bien, dit le prisonnier; vous mettrez aussi un peu de paille
sur votre litière, pour que je sois plus commodément[9]. »

---

1. **Daim**: animal proche de la biche et réputé pour son agilité et sa rapidité.
2. **Culbuter**: renverser violemment.
3. **Garrotta**: attacha solidement.
4. **Fagot**: paquet de branches ou de brins de paille étroitement liés par une ficelle.
5. **Proscrit**: personne exilée, bannie.
6. **Repartit**: répliqua.
7. **Litière**: lit portatif.
8. **Capote**: vêtement long porté sur une tunique, sorte de cape.
9. **Commodément**: à l'aise.

Pendant que les voltigeurs s'occupaient, les uns à faire une espèce de brancard avec des branches de châtaignier, les autres
285 à panser la blessure de Gianetto, Mateo Falcone et sa femme parurent tout d'un coup au détour d'un sentier qui conduisait au maquis. La femme s'avançait courbée péniblement sous le poids d'un énorme sac de châtaignes, tandis que son mari se prélassait, ne portant qu'un fusil à la main et un autre en bandoulière ; car il
290 est indigne d'un homme de porter d'autre fardeau que ses armes.

À la vue des soldats, la première pensée de Mateo fut qu'ils venaient pour l'arrêter. Mais pourquoi cette idée ? Mateo avait-il donc quelques démêlés [1] avec la justice ? Non. Il jouissait d'une bonne réputation. C'était, comme on dit, *un particulier bien*
295 *famé* [2] ; mais il était Corse et montagnard, et il y a peu de Corses montagnards qui, en scrutant bien leur mémoire, n'y trouvent quelque peccadille [3], telle que coups de fusil, coups de stylet et autres bagatelles [4]. Mateo, plus qu'un autre, avait la conscience nette ; car depuis plus de dix ans il n'avait dirigé son fusil contre
300 un homme ; mais toutefois il était prudent, et il se mit en posture de faire une belle défense, s'il en était besoin.

« Femme, dit-il à Giuseppa, mets bas ton sac [5] et tiens-toi prête. »

Elle obéit sur-le-champ. Il lui donna le fusil qu'il avait en bandoulière et qui aurait pu le gêner. Il arma celui qu'il avait à la
305 main, et il s'avança lentement vers sa maison, longeant les arbres qui bordaient le chemin, et prêt, à la moindre démonstration hostile [6], à se jeter derrière le plus gros tronc, d'où il aurait pu faire feu à couvert [7]. Sa femme marchait sur ses talons, tenant son

---

1. **Démêlés** : ennuis.
2. *Particulier bien famé* : personne de bonne réputation.
3. **Peccadille** : petite faute sans gravité.
4. **Bagatelles** : choses ou actions sans importance.
5. **Mets bas ton sac** : pose ton sac à terre.
6. **Hostile** : qui manifeste des intentions agressives.
7. **À couvert** : à l'abri du danger.

fusil de rechange et sa giberne. L'emploi d'une bonne ménagère,
310 en cas de combat, est de charger les armes de son mari.

D'un autre côté, l'adjudant était fort en peine en voyant Mateo
s'avancer ainsi, à pas comptés, le fusil en avant et le doigt sur
la détente[1]. « Si par hasard, pensa-t-il, Mateo se trouvait parent
de Gianetto, ou s'il était son ami, et qu'il voulût le défendre,
315 les bourres[2] de ses deux fusils arriveraient à deux d'entre nous,
aussi sûr qu'une lettre à la poste, et s'il me visait, nonobstant la
parenté[3] !… »

Dans cette perplexité[4], il prit un parti fort courageux, ce fut de
s'avancer seul vers Mateo pour lui conter l'affaire, en l'abordant
320 comme une vieille connaissance ; mais le court intervalle qui le
séparait de Mateo lui parut terriblement long.

« Holà ! eh ! mon vieux camarade, criait-il, comment cela va-t-il,
mon brave ? C'est moi, je suis Gamba, ton cousin. »

Mateo, sans répondre un mot, s'était arrêté, et à mesure que
325 l'autre parlait il relevait doucement le canon de son fusil, de sorte
qu'il était dirigé vers le ciel au moment où l'adjudant le joignit.

« Bonjour, frère[5], dit l'adjudant en lui tendant la main. Il y a
bien longtemps que je ne t'ai vu.

– Bonjour, frère !
330 – J'étais venu pour te dire bonjour en passant, et à ma cousine
Pepa[6]. Nous avons fait une longue traite[7] aujourd'hui ; mais il ne
faut pas plaindre notre fatigue, car nous avons fait une fameuse
prise. Nous venons d'empoigner Gianetto Sanpiero.

– Dieu soit loué ! s'écria Giuseppa. Il nous a volé une chèvre
335 laitière la semaine passée. »

---

1. **Détente** : pièce d'une arme à feu qui, enclenchée, fait partir le coup.
2. **Bourres** : tirs.
3. **Nonobstant la parenté** : malgré nos liens de parenté.
4. **Perplexité** : indécision, incertitude quant à ce qu'il faut penser ou faire.
5. **Buon giorno, fratello*** : salut ordinaire des Corses.
6. **Pepa** : diminutif du prénom Giuseppa.
7. **Traite** : trajet sans halte.

Ces mots réjouirent Gamba.

« Pauvre diable ! dit Mateo, il avait faim.

– Le drôle s'est défendu comme un lion, poursuivit l'adjudant un peu mortifié[1] ; il m'a tué un de mes voltigeurs, et, non content de cela, il a cassé le bras au caporal Chardon ; mais il n'y a pas grand mal, ce n'était qu'un Français… Ensuite, il s'était si bien caché que le diable ne l'aurait pu découvrir. Sans mon petit cousin Fortunato, je ne l'aurais jamais pu trouver.

– Fortunato ! s'écria Mateo.

– Fortunato ! répéta Giuseppa.

– Oui, le Gianetto s'était caché sous ce tas de foin là-bas ; mais mon petit cousin m'a montré la malice[2]. Aussi je le dirai à son oncle le caporal, afin qu'il lui envoie un beau cadeau pour sa peine. Et son nom et le tien seront dans le rapport que j'enverrai à M. l'avocat général.

– Malédiction ! » dit tout bas Mateo.

Ils avaient rejoint le détachement[3]. Gianetto était déjà couché sur la litière et prêt à partir. Quand il vit Mateo en la compagnie de Gamba, il sourit d'un sourire étrange ; puis, se tournant vers la porte de la maison, il cracha sur le seuil en disant :

« Maison d'un traître ! »

Il n'y avait qu'un homme décidé à mourir qui eût osé prononcer le mot de traître en l'appliquant à Falcone. Un bon coup de stylet, qui n'aurait pas eu besoin d'être répété, aurait immédiatement payé l'insulte. Cependant Mateo ne fit pas d'autre geste que celui de porter sa main à son front comme un homme accablé[4].

Fortunato était entré dans la maison en voyant arriver son père. Il reparut bientôt avec une jatte[5] de lait, qu'il présenta les yeux baissés à Gianetto.

---

1. **Mortifié** : vexé.
2. **Malice** : astuce, stratagème.
3. **Détachement** : troupe.
4. **Accablé** : écrasé par un poids pénible.
5. **Jatte** : récipient de forme ronde, semblable à un grand bol.

365 «Loin de moi!» lui cria le proscrit d'une voix foudroyante.

Puis, se tournant vers un des voltigeurs:

«Camarade, donne-moi à boire», dit-il.

Le soldat remit sa gourde entre ses mains, et le bandit but l'eau que lui donnait un homme avec lequel il venait d'échanger des

370 coups de fusil. Ensuite il demanda qu'on lui attachât les mains de manière qu'il les eût croisées sur sa poitrine, au lieu de les avoir liées derrière le dos.

«J'aime, disait-il, à être couché à mon aise.»

On s'empressa de le satisfaire; puis l'adjudant donna le signal

375 du départ, dit adieu à Mateo, qui ne lui répondit pas, et descendit au pas accéléré vers la plaine.

Il se passa près de dix minutes avant que Mateo ouvrît la bouche. L'enfant regardait d'un œil inquiet tantôt sa mère et tantôt son père, qui, s'appuyant sur son fusil, le considérait avec une expres-

380 sion de colère concentrée.

«Tu commences bien! dit enfin Mateo d'une voix calme, mais effrayante pour qui connaissait l'homme.

– Mon père!» s'écria l'enfant en s'avançant les larmes aux yeux comme pour se jeter à ses genoux. Mais Mateo lui cria:

385 «Arrière de moi[1]!» Et l'enfant s'arrêta et sanglota, immobile, à quelques pas de son père.

Giuseppa s'approcha. Elle venait d'apercevoir la chaîne de la montre, dont un bout sortait de la chemise de Fortunato.

«Qui t'a donné cette montre? demanda-t-elle d'un air sévère.

390 – Mon cousin l'adjudant.»

Falcone saisit la montre, et, la jetant avec force contre une pierre, il la mit en mille pièces.

«Femme, dit-il, cet enfant est-il de moi?»

Les joues brunes de Giuseppa devinrent d'un rouge de brique.

395 «Que dis-tu, Mateo? et sais-tu bien à qui tu parles?

---

1. Arrière de moi: Ne m'approche pas, reste loin de moi.

– Eh bien, cet enfant est le premier de sa race qui ait fait une trahison. »

Les sanglots et les hoquets de Fortunato redoublèrent, et Falcone tenait ses yeux de lynx toujours attachés sur lui. Enfin il frappa
400 la terre de la crosse[1] de son fusil, puis le jeta sur son épaule et reprit le chemin du maquis en criant à Fortunato de le suivre. L'enfant obéit.

Giuseppa courut après Mateo et lui saisit le bras.

« C'est ton fils, lui dit-elle d'une voix tremblante en attachant
405 ses yeux noirs sur ceux de son mari, comme pour lire ce qui se passait dans son âme.

– Laisse-moi, répondit Mateo : je suis son père. »

Giuseppa embrassa son fils et entra en pleurant dans sa cabane. Elle se jeta à genoux devant une image de la Vierge et pria avec
410 ferveur[2]. Cependant Falcone marcha quelque deux cents pas dans le sentier et ne s'arrêta que dans un petit ravin où il descendit. Il sonda[3] la terre avec la crosse de son fusil et la trouva molle et facile à creuser. L'endroit lui parut convenable pour son dessein[4].

« Fortunato, va auprès de cette grosse pierre. »
415 L'enfant fit ce qu'il lui commandait, puis il s'agenouilla.

« Dis tes prières.

– Mon père, mon père, ne me tuez pas !

– Dis tes prières ! » répéta Mateo d'une voix terrible.

L'enfant, tout en balbutiant et en sanglotant, récita le *Pater* et
420 le *Credo*[5]. Le père, d'une voix forte, répondait *Amen*[6] ! à la fin de chaque prière.

« Sont-ce là toutes les prières que tu sais ?

---

1. Crosse : manche.
2. Ferveur : vif sentiment religieux.
3. Sonda : évalua.
4. Dessein : projet.
5. *Pater*, *Credo* : prières catholiques (le *Pater*, ou « Notre Père », s'adresse à Dieu ; le *Credo*, ou « Je crois en Dieu », est une profession de foi des fidèles).
6. *Amen* : formule religieuse exprimant l'adhésion à une croyance ou un souhait à la fin d'une prière.

– Mon père, je sais encore l'*Ave Maria* et la litanie[1] que ma tante m'a apprise.

425 – Elle est bien longue, n'importe. »

L'enfant acheva la litanie d'une voix éteinte.

« As-tu fini ?

– Oh ! mon père, grâce ! pardonnez-moi ! Je ne le ferai plus ! Je prierai tant mon cousin le caporal qu'on fera grâce au Gianetto ! »

430 Il parlait encore ; Mateo avait armé son fusil et le couchait en joue en lui disant :

« Que Dieu te pardonne ! »

L'enfant fit un effort désespéré pour se relever et embrasser les genoux de son père ; mais il n'en eut pas le temps. Mateo fit

435 feu, et Fortunato tomba roide[2] mort.

Sans jeter un coup d'œil sur le cadavre, Mateo reprit le chemin de sa maison pour aller chercher une bêche[3] afin d'enterrer son fils. Il avait fait à peine quelques pas qu'il rencontra Giuseppa, qui accourait alarmée du coup de feu.

440 « Qu'as-tu fait ? s'écria-t-elle.

– Justice.

– Où est-il ?

– Dans le ravin. Je vais l'enterrer. Il est mort en chrétien ; je lui ferai chanter une messe. Qu'on dise à mon gendre Tiodoro Bianchi de venir demeurer[4] avec nous. »

---

1. *Ave Maria*, litanie : prières catholiques (l'*Ave Maria*, ou « Je vous salue Marie », s'adresse à la Vierge Marie ; la litanie invoque les saints).
2. Roide : raide.
3. Bêche : instrument de labour utilisé pour retourner la terre.
4. Demeurer : vivre.

Le Papa de Simon
Guy de Maupassant

Guy de Maupassant (1850-1893) a publié près de trois cents nouvelles réalistes et fantastiques. *Le Papa de Simon*, publié dans la
revue *La Réforme politique, littéraire, philosophique, scientifique et
économique* le 1er décembre 1871, dépeint la souffrance d'un petit
garçon en quête d'une figure paternelle de substitution.

Midi finissait de sonner. La porte de l'école s'ouvrit, et les
gamins se précipitèrent en se bousculant pour sortir plus vite.
Mais au lieu de se disperser rapidement et de rentrer dîner[1],
comme ils le faisaient chaque jour, ils s'arrêtèrent à quelques
pas, se réunirent par groupes et se mirent à chuchoter.

C'est que, ce matin-là, Simon, le fils de la Blanchotte, était
venu à la classe pour la première fois.

Tous avaient entendu parler de la Blanchotte dans leurs familles ;
et quoiqu'on lui fît bon accueil en public, les mères la traitaient
entre elles avec une sorte de compassion[2] un peu méprisante
qui avait gagné les enfants sans qu'ils sussent[3] du tout pourquoi.

Quant à Simon, ils ne le connaissaient pas, car il ne sortait jamais,
et il ne galopinait point avec eux[4] dans les rues du village ou sur
les bords de la rivière. Aussi ne l'aimaient-ils guère ; et c'était
avec une certaine joie, mêlée d'un étonnement considérable,

---

1. **Dîner** : ici, déjeuner.
2. **Compassion** : sentiment de pitié.
3. **Sussent** : imparfait du subjonctif du verbe « savoir ».
4. **Il ne galopinait point avec eux** : il ne se comportait pas effrontément comme eux.

qu'ils avaient accueilli et qu'ils s'étaient répété l'un à l'autre cette parole dite par un gars de quatorze ou quinze ans qui paraissait en savoir long tant il clignait finement des yeux :

«Vous savez… Simon… eh bien, il n'a pas de papa.»

20 Le fils de la Blanchotte parut à son tour sur le seuil[1] de l'école.

Il avait sept ou huit ans. Il était un peu pâlot, très propre, avec l'air timide, presque gauche[2].

Il s'en retournait chez sa mère quand les groupes de ses camarades, chuchotant toujours et le regardant avec les yeux malins

25 et cruels des enfants qui méditent[3] un mauvais coup, l'entourèrent peu à peu et finirent par l'enfermer tout à fait. Il restait là, planté au milieu d'eux, surpris et embarrassé, sans comprendre ce qu'on allait lui faire. Mais le gars qui avait apporté la nouvelle, enorgueilli[4] du succès obtenu déjà, lui demanda :

30 «Comment t'appelles-tu, toi?»

Il répondit : «Simon.

– Simon quoi?» reprit l'autre.

L'enfant répéta tout confus : «Simon.»

Le gars lui cria : «On s'appelle Simon quelque chose… c'est

35 pas un nom, ça… Simon.»

Et lui, prêt à pleurer, répondit pour la troisième fois :

«Je m'appelle Simon.»

Les galopins se mirent à rire. Le gars triomphant éleva la voix :

«Vous voyez bien qu'il n'a pas de papa.»

40 Un grand silence se fit. Les enfants étaient stupéfaits par cette chose extraordinaire, impossible, monstrueuse, – un garçon qui n'a pas de papa ; – ils le regardaient comme un phénomène, un être hors de la nature, et ils sentaient grandir en eux ce mépris, inexpliqué jusque-là, de leurs mères pour la Blanchotte.

---

1. **Sur le seuil** : à l'entrée.
2. **Gauche** : maladroit.
3. **Méditent** : réfléchissent à, préparent.
4. **Enorgueilli** : rempli d'orgueil, de fierté.

45   Quant à Simon, il s'était appuyé contre un arbre pour ne pas tomber ; et il restait comme atterré[1] par un désastre irréparable. Il cherchait à s'expliquer. Mais il ne pouvait rien trouver pour leur répondre, et démentir[2] cette chose affreuse qu'il n'avait pas de papa. Enfin, livide[3], il leur cria à tout hasard : « Si, j'en ai un.

50   – Où est-il ? » demanda le gars.

    Simon se tut ; il ne savait pas. Les enfants riaient, très excités ; et ces fils des champs, plus proches des bêtes, éprouvaient ce besoin cruel qui pousse les poules d'une basse-cour à achever l'une d'entre elles aussitôt qu'elle est blessée. Simon avisa[4] tout

55 à coup un petit voisin, le fils d'une veuve, qu'il avait toujours vu, comme lui-même, tout seul avec sa mère.

    « Et toi non plus, dit-il, tu n'as pas de papa.

    – Si, répondit l'autre, j'en ai un.

    – Où est-il ? riposta[5] Simon.

60   – Il est mort, déclara l'enfant avec une fierté superbe, il est au cimetière, mon papa. »

    Un murmure d'approbation courut parmi les garnements[6], comme si ce fait d'avoir son père mort au cimetière eût grandi leur camarade pour écraser cet autre qui n'en avait point du

65 tout. Et ces polissons[7], dont les pères étaient, pour la plupart, méchants, ivrognes, voleurs et durs à[8] leurs femmes, se bousculaient en se serrant de plus en plus, comme si eux, les légitimes[9], eussent voulu étouffer dans une pression celui qui était hors la loi.

    L'un, tout à coup, qui se trouvait contre Simon, lui tira la

70 langue d'un air narquois[10] et lui cria :

---

1. Atterré : consterné, accablé.
2. Démentir : nier.
3. Livide : très pâle.
4. Avisa : aperçut.
5. Riposta : répondit violemment.
6. Garnements : enfants turbulents (familier)
7. Polissons : enfants espiègles (familier).
8. Durs à : violents envers.
9. Légitimes : ici, enfants d'un couple marié selon la loi (ironique).
10. Narquois : moqueur.

«Pas de papa! pas de papa!»

Simon le saisit à deux mains aux cheveux et se mit à lui cribler[1] les jambes de coups de pied, pendant qu'il lui mordait la joue cruellement. Il se fit une bousculade énorme. Les deux
75 combattants furent séparés, et Simon se trouva frappé, déchiré, meurtri[2], roulé par terre, au milieu du cercle des galopins qui applaudissaient. Comme il se relevait, en nettoyant machinalement avec sa main sa petite blouse[3] toute sale de poussière, quelqu'un lui cria:
80 «Va le dire à ton papa.»

Alors il sentit dans son cœur un grand écroulement. Ils étaient plus forts que lui, ils l'avaient battu, et il ne pouvait point leur répondre, car il sentait bien que c'était vrai qu'il n'avait pas de papa. Plein d'orgueil, il essaya pendant quelques secondes de
85 lutter contre les larmes qui l'étranglaient. Il eut une suffocation[4], puis, sans cris, il se mit à pleurer par grands sanglots qui le secouaient précipitamment.

Alors une joie féroce éclata chez ses ennemis, et naturellement, ainsi que les sauvages dans leurs gaietés terribles, ils se prirent par
90 la main et se mirent à danser en rond autour de lui, en répétant comme un refrain: «Pas de papa! pas de papa!»

Mais Simon tout à coup cessa de sangloter. Une rage l'affola[5]. Il y avait des pierres sous ses pieds; il les ramassa et, de toutes ses forces, les lança contre ses bourreaux. Deux ou trois furent atteints
95 et se sauvèrent en criant; et il avait l'air tellement formidable[6] qu'une panique eut lieu parmi les autres. Lâches, comme l'est toujours la foule devant un homme exaspéré, ils se débandèrent[7] et s'enfuirent.

---

1. **Cribler**: frapper.
2. **Meurtri**: sévèrement blessé.
3. **Blouse**: tenue d'écolier.
4. **Suffocation**: étouffement, difficulté à respirer.
5. **L'affola**: le saisit fortement.
6. **Formidable**: qui inspire une grande crainte.
7. **Se débandèrent**: se dispersèrent en courant dans tous les sens.

Resté seul, le petit enfant sans père se mit à courir vers les
100 champs, car un souvenir lui était venu qui avait amené dans son
esprit une grande résolution[1]. Il voulait se noyer dans la rivière.

Il se rappelait en effet que, huit jours auparavant, un pauvre
diable[2] qui mendiait sa vie s'était jeté dans l'eau parce qu'il n'avait
plus d'argent. Simon était là lorsqu'on le repêchait; et le triste
105 bonhomme, qui lui semblait ordinairement[3] lamentable, mal-
propre et laid, l'avait alors frappé par son air tranquille, avec ses
joues pâles, sa longue barbe mouillée et ses yeux ouverts, très
calmes. On avait dit alentour : « Il est mort. » Quelqu'un avait
ajouté : « Il est bien heureux maintenant. » Et Simon voulait aussi
110 se noyer, parce qu'il n'avait pas de père, comme ce misérable[4]
qui n'avait pas d'argent.

Il arriva tout près de l'eau et la regarda couler. Quelques pois-
sons folâtraient[5], rapides, dans le courant clair, et, par moments,
faisaient un petit bond et happaient[6] des mouches voltigeant
115 à la surface. Il cessa de pleurer pour les voir, car leur manège
l'intéressait beaucoup. Mais, parfois, comme dans les accalmies
d'une tempête passent tout à coup de grandes rafales de vent qui
font craquer les arbres et se perdent à l'horizon, cette pensée lui
revenait avec une douleur aiguë : « Je vais me noyer parce que
120 je n'ai point de papa. »

Il faisait très chaud, très bon. Le doux soleil chauffait l'herbe.
L'eau brillait comme un miroir. Et Simon avait des minutes de
béatitude[7], de cet alanguissement[8] qui suit les larmes, où il lui
venait de grandes envies de s'endormir là, sur l'herbe, dans la
125 chaleur.

---

1. Résolution : décision.
2. Diable : ici, enfant turbulent (familier).
3. Ordinairement : de façon habituelle.
4. Misérable : ici, personne très pauvre.
5. Folâtraient : s'amusaient, s'ébattaient librement.
6. Happaient : attrapaient brusquement dans leurs gueules.
7. Béatitude : sentiment de bonheur extrême.
8. Alanguissement : manque d'énergie.

Une petite grenouille verte sauta sous ses pieds. Il essaya de la prendre. Elle lui échappa. Il la poursuivit et la manqua trois fois de suite. Enfin il la saisit par l'extrémité de ses pattes de derrière et il se mit à rire en voyant les efforts que faisait la bête

130 pour s'échapper. Elle se ramassait sur ses grandes jambes, puis d'une détente brusque, les allongeait subitement, raides comme deux barres ; tandis que, l'œil tout rond avec son cercle d'or, elle battait l'air de ses pattes de devant qui s'agitaient comme des mains. Cela lui rappela un joujou fait avec d'étroites planchettes

135 de bois clouées en zigzag les unes sur les autres, qui, par un mouvement semblable, conduisaient l'exercice de petits soldats piqués dessus. Alors, il pensa à sa maison, puis à sa mère, et, pris d'une grande tristesse, il recommença à pleurer. Des frissons lui passaient dans les membres ; il se mit à genoux et récita sa

140 prière comme avant de s'endormir. Mais il ne put l'achever, car des sanglots lui revinrent si pressés[1], si tumultueux[2], qu'ils l'envahirent tout entier. Il ne pensait plus ; il ne voyait plus rien autour de lui et il n'était occupé qu'à pleurer.

Soudain, une lourde main s'appuya sur son épaule et une

145 grosse voix lui demanda : « Qu'est-ce qui te fait donc tant de chagrin, mon bonhomme ? »

Simon se retourna. Un grand ouvrier qui avait une barbe et des cheveux noirs tout frisés le regardait d'un air bon. Il répondit avec des larmes plein les yeux et plein la gorge :

150 « Ils m'ont battu… parce que… je… je… n'ai pas… de papa… pas de papa.

– Comment, dit l'homme en souriant, mais tout le monde en a un. »

L'enfant reprit péniblement au milieu des spasmes[3] de son

155 chagrin :

---

1. **Pressés** : rapprochés.
2. **Tumultueux** : agités.
3. **Spasmes** : contractions du corps dues aux sanglots.

« Moi… moi… je n'en ai pas. »

Alors l'ouvrier devint grave ; il avait reconnu le fils de la Blanchotte, et, quoique nouveau dans le pays, il savait vaguement son histoire.

« Allons, dit-il, console-toi, mon garçon, et viens-t'en avec moi
160   chez ta maman. On t'en donnera… un papa. »

Ils se mirent en route, le grand tenant le petit par la main, et l'homme souriait de nouveau, car il n'était pas fâché de voir cette Blanchotte, qui était, contait-on, une des plus belles filles du pays ; et il se disait peut-être, au fond de sa pensée, qu'une
165   jeunesse qui avait failli[1] pouvait bien faillir encore.

Ils arrivèrent devant une petite maison blanche, très propre.

« C'est là », dit l'enfant, et il cria : « Maman ! »

Une femme se montra, et l'ouvrier cessa brusquement de sourire, car il comprit tout de suite qu'on ne badinait[2] plus avec
170   cette grande fille pâle qui restait sévère sur sa porte, comme pour défendre à un homme le seuil de cette maison où elle avait été déjà trahie par un autre. Intimidé et sa casquette à la main, il balbutia :

« Tenez, madame, je vous ramène votre petit garçon qui s'était
175   perdu près de la rivière. »

Mais Simon sauta au cou de sa mère et lui dit en se remettant à pleurer :

« Non, maman, j'ai voulu me noyer, parce que les autres m'ont battu… m'ont battu… parce que je n'ai pas de papa. »

180   Une rougeur cuisante[3] couvrit les joues de la jeune femme, et, meurtrie jusqu'au fond de sa chair, elle embrassa son enfant avec violence pendant que des larmes rapides lui coulaient sur la figure. L'homme ému restait là, ne sachant comment partir. Mais Simon soudain courut vers lui et lui dit :

185   « Voulez-vous être mon papa ? »

---

1. Avait failli : s'était trompé, avait commis une erreur (ici, avoir un enfant hors mariage avant d'être abandonnée par le père de l'enfant).
2. Badinait : plaisantait.
3. Cuisante : vive.

Un grand silence se fit. La Blanchotte, muette et torturée de honte, s'appuyait contre le mur, les deux mains sur son cœur. L'enfant, voyant qu'on ne lui répondait point, reprit :

«Si vous ne voulez pas, je retournerai me noyer.»

190 L'ouvrier prit la chose en plaisanterie et répondit en riant :

«Mais oui, je veux bien.

– Comment est-ce que tu t'appelles, demanda alors l'enfant, pour que je réponde aux autres quand ils voudront savoir ton nom?

– Philippe», répondit l'homme.

195 Simon se tut une seconde pour bien faire entrer ce nom-là dans sa tête, puis il tendit les bras, tout consolé, en disant :

«Eh bien! Philippe, tu es mon papa.»

L'ouvrier, l'enlevant de terre, l'embrassa brusquement sur les deux joues, puis il s'enfuit très vite à grandes enjambées.

200 Quand l'enfant entra dans l'école, le lendemain, un rire méchant l'accueillit; et à la sortie, lorsque le gars voulut recommencer, Simon lui jeta ces mots à la tête, comme il aurait fait d'une pierre :

«Il s'appelle Philippe, mon papa.»

Des hurlements de joie jaillirent de tous les côtés :

205 «Philippe qui?... Philippe quoi?... Qu'est-ce que c'est que ça, Philippe?... Où l'as-tu pris, ton Philippe?»

Simon ne répondit rien; et, inébranlable dans sa foi[1], il les défiait de l'œil, prêt à se laisser martyriser[2] plutôt que de fuir devant eux. Le maître d'école le délivra et il retourna chez sa

210 mère.

Pendant trois mois, le grand ouvrier Philippe passa souvent près de la maison de la Blanchotte et, quelquefois, il s'enhardissait à[3] lui parler lorsqu'il la voyait cousant auprès de sa fenêtre. Elle lui répondait poliment, toujours grave, sans rire jamais avec lui, et

---

1. Inébranlable dans sa foi: qui ne se laisse pas perturber dans ses croyances ou ses convictions.
2. Martyriser: maltraiter, persécuter.
3. S'enhardissait à: trouvait assez d'assurance pour, osait.

215 sans le laisser entrer chez elle. Cependant, un peu fat[1], comme tous les hommes, il s'imagina qu'elle était souvent plus rouge que de coutume lorsqu'elle causait avec lui.

Mais une réputation tombée[2] est si pénible à refaire et demeure toujours si fragile, que, malgré la réserve ombrageuse[3] de la 220 Blanchotte, on jasait[4] déjà dans le pays.

Quant à Simon, il aimait beaucoup son nouveau papa et se promenait avec lui presque tous les soirs, la journée finie. Il allait assidûment[5] à l'école et passait au milieu de ses camarades fort digne, sans leur répondre jamais.

225 Un jour, pourtant, le gars qui l'avait attaqué le premier lui dit:
«Tu as menti, tu n'as pas un papa qui s'appelle Philippe.
– Pourquoi ça?» demanda Simon très ému.
Le gars se frottait les mains. Il reprit:
«Parce que si tu en avais un, il serait le mari de ta maman.»
230 Simon se troubla devant la justesse de ce raisonnement, néanmoins il répondit: «C'est mon papa tout de même.
– Ça se peut bien, dit le gars en ricanant, mais ce n'est pas ton papa tout à fait.»
Le petit à la Blanchotte courba la tête et s'en alla rêver du côté 235 de la forge[6] au père Loizon, où travaillait Philippe.

Cette forge était comme ensevelie sous des arbres. Il y faisait très sombre; seule, la lueur rouge d'un foyer formidable éclairait par grands reflets cinq forgerons aux bras nus qui frappaient sur leurs enclumes[7] avec un terrible fracas. Ils se tenaient debout,

---

1. **Fat**: prétentieux.
2. **Tombée**: ici, perdue.
3. **Réserve ombrageuse**: discrétion méfiante, inquiète.
4. **Jasait**: colportait des ragots.
5. **Assidûment**: avec zèle, application.
6. **Forge**: atelier artisanal où les ouvriers, appelés forgerons, chauffent le métal pour en faire des objets (fers à cheval, lames de couteaux, etc.).
7. **Enclumes**: masses métalliques sur lesquelles le forgeron bat le fer chaud pour lui donner la forme souhaitée.

240 enflammés comme des démons, les yeux fixés sur le fer ardent
qu'ils torturaient[1]; et leur lourde pensée montait et retombait
avec leurs marteaux.

Simon entra sans être vu et alla tout doucement tirer son ami
par la manche. Celui-ci se retourna. Soudain le travail s'inter-
245 rompit, et tous les hommes regardèrent, très attentifs. Alors, au
milieu de ce silence inaccoutumé[2], monta la petite voix frêle[3]
de Simon.

«Dis donc, Philippe, le gars à la Michaude qui m'a conté tout
à l'heure que tu n'étais pas mon papa tout à fait.

250 — Pourquoi ça?» demanda l'ouvrier.

L'enfant répondit avec toute sa naïveté:

«Parce que tu n'es pas le mari de maman.»

Personne ne rit. Philippe resta debout, appuyant son front
sur le dos de ses grosses mains que supportait le manche de son
255 marteau dressé sur l'enclume. Il rêvait. Ses quatre compagnons
le regardaient et, tout petit entre ces géants, Simon, anxieux,
attendait. Tout à coup, un des forgerons, répondant à la pensée
de tous, dit à Philippe:

«C'est tout de même une bonne et brave fille que la Blanchotte,
260 et vaillante[4] et rangée[5] malgré son malheur, et qui serait une
digne femme pour un honnête homme.

— Ça, c'est vrai», dirent les trois autres.

L'ouvrier continua:

«Est-ce sa faute, à cette fille, si elle a failli? On lui avait pro-
265 mis mariage, et j'en connais plus d'une qu'on respecte bien
aujourd'hui et qui en a fait tout autant.

— Ça, c'est vrai», répondirent en chœur les trois hommes.

---

1. **Torturaient**: ici, travaillaient, façonnaient.
2. **Inaccoutumé**: inhabituel.
3. **Frêle**: fragile.
4. **Vaillante**: forte (au sens moral et/ou physique).
5. **Rangée**: qui adopte, après des écarts, une conduite convenable.

Il reprit :

«Ce qu'elle a peiné la pauvre, pour élever son gars toute seule,
270 et ce qu'elle a pleuré depuis qu'elle ne sort plus que pour aller
à l'église, il n'y a que le bon Dieu qui le sait.

– C'est encore vrai », dirent les autres.

Alors on n'entendit plus que le soufflet[1] qui activait le feu du
foyer[2]. Philippe, brusquement, se pencha vers Simon :
275 «Va dire à ta maman que j'irai lui parler ce soir.»

Puis il poussa l'enfant dehors par les épaules.

Il revint à son travail et, d'un seul coup, les cinq marteaux
retombèrent ensemble sur les enclumes. Ils battirent ainsi le
fer jusqu'à la nuit, forts, puissants, joyeux comme des marteaux
280 satisfaits. Mais, de même que le bourdon[3] d'une cathédrale
résonne dans les jours de fête au-dessus du tintement des autres
cloches, ainsi le marteau de Philippe, dominant le fracas des
autres, s'abattait de seconde en seconde avec un vacarme assour-
dissant. Et lui, l'œil allumé, forgeait passionnément, debout
285 dans les étincelles.

Le ciel était plein d'étoiles quand il vint frapper à la porte de
la Blanchotte. Il avait sa blouse des dimanches, une chemise
fraîche et la barbe faite. La jeune femme se montra sur le seuil
et lui dit d'un air peiné :
290 «C'est mal de venir ainsi la nuit tombée, monsieur Philippe.»

Il voulut répondre, balbutia[4] et resta confus[5] devant elle.

Elle reprit :

«Vous comprenez bien pourtant qu'il ne faut plus que l'on
parle de moi.»

---

1. **Soufflet** : instrument expirant de l'air pour entretenir un feu.
2. **Foyer** : partie du fourneau où on fait le feu.
3. **Bourdon** : nom d'un type de cloche.
4. **Balbutia** : parla en hésitant, en butant sur les mots.
5. **Confus** : troublé.

295 Alors, lui, tout à coup:

«Qu'est-ce que ça fait, dit-il, si vous voulez être ma femme!»

Aucune voix ne lui répondit, mais il crut entendre dans l'ombre de la chambre le bruit d'un corps qui s'affaissait[1]. Il entra bien vite; et Simon, qui était couché dans son lit, distingua le son 300 d'un baiser et quelques mots que sa mère murmurait bien bas. Puis, tout à coup, il se sentit enlevé dans les mains de son ami, et celui-ci, le tenant au bout de ses bras d'hercule[2], lui cria:

«Tu leur diras, à tes camarades, que ton papa, c'est Philippe Remy, le forgeron, et qu'il ira tirer les oreilles à tous ceux qui 305 te feront du mal.»

Le lendemain, comme l'école était pleine et que la classe allait commencer, le petit Simon se leva, tout pâle et les lèvres tremblantes:

«Mon papa, dit-il, d'une voix claire, c'est Philippe Remy, le 310 forgeron, et il a promis qu'il tirerait les oreilles à tous ceux qui me feraient du mal.»

Cette fois, personne ne rit plus, car on le connaissait bien ce Philippe Remy, le forgeron, et c'était un papa, celui-là, dont tout le monde eût été fier.

---

1. S'affaissait: tombait, s'écroulait.
2. Hercule: homme d'une très grande force physique (nom commun tiré du nom du héros mythologique grec Hercule, connu pour avoir accompli des exploits grâce à sa force surhumaine).

Aux champs

Guy de Maupassant

Parue pour la première fois le 31 octobre 1882 dans le quotidien littéraire et politique *Le Gaulois*, cette nouvelle de Guy de Maupassant (1850-1893) est ensuite intégrée au recueil des *Contes de la Bécasse* (1883). L'auteur s'intéresse ici aux liens qui unissent parents et enfants dans la paysannerie pauvre du XIXe siècle en mettant en place un délicat dilemme d'éducation.

À Octave Mirbeau[1].

Les deux chaumières[2] étaient côte à côte, au pied d'une colline, proches d'une petite ville de bains[3]. Les deux paysans besognaient[4] dur sur la terre inféconde[5] pour élever tous leurs petits. Chaque ménage[6] en avait quatre. Devant les deux portes voisines, toute
5   la marmaille[7] grouillait[8] du matin au soir. Les deux aînés avaient six ans et les deux cadets[9] quinze mois environ ; les mariages, et, ensuite, les naissances s'étaient produits à peu près simultanément dans l'une et l'autre maison.

---

1. Octave Mirbeau (1848-1917) : écrivain, critique d'art et journaliste originaire de Normandie, comme Maupassant, avec qui il entretenait des affinités littéraires et une correspondance régulière.
2. Chaumières : petites maisons de campagne au toit de chaume (paille).
3. Ville de bains : ville thermale.
4. Besognaient : travaillaient.
5. Inféconde : où poussent peu de choses.
6. Ménage : couple.
7. Marmaille : enfants (familier).
8. Grouillait : s'agitait.
9. Cadets : enfants les plus jeunes.

Les deux mères distinguaient à peine leurs produits[1] dans le
10 tas; et les deux pères confondaient tout à fait. Les huit noms
dansaient dans leur tête, se mêlaient sans cesse; et, quand il
fallait en appeler un, les hommes souvent en criaient trois avant
d'arriver au véritable.

La première des deux demeures, en venant de la station d'eaux
15 de Rolleport[2], était occupée par les Tuvache, qui avaient trois
filles et un garçon; l'autre masure[3] abritait les Vallin, qui avaient
une fille et trois garçons.

Tout cela vivait péniblement de soupe, de pommes de terre
et de grand air. À sept heures, le matin, puis à midi, puis à six
20 heures, le soir, les ménagères réunissaient leurs mioches[4] pour
donner la pâtée[5], comme des gardeurs d'oies assemblent leurs
bêtes. Les enfants étaient assis, par rang d'âge, devant la table en
bois, vernie par cinquante ans d'usage. Le dernier moutard[6] avait
à peine la bouche au niveau de la planche. On posait devant eux
25 l'assiette creuse pleine de pain molli[7] dans l'eau où avaient cuit
les pommes de terre, un demi-chou et trois oignons; et toute la
ligne mangeait jusqu'à plus faim. La mère empâtait[8] elle-même le
petit. Un peu de viande au pot-au-feu[9], le dimanche, était une fête
pour tous; et le père, ce jour-là, s'attardait au repas en répétant:
30 « Je m'y ferais bien tous les jours. »

Par un après-midi du mois d'août, une légère voiture[10] s'arrêta
brusquement devant les deux chaumières, et une jeune femme,
qui conduisait elle-même, dit au monsieur assis à côté d'elle:

---

1. **Produits**: ici, enfants, progéniture (péjoratif).
2. **Rolleport**: ville imaginaire à consonance normande (région natale de Maupassant).
3. **Masure**: maison misérable.
4. **Mioches**: enfants (familier).
5. **Pâtée**: soupe épaisse.
6. **Moutard**: enfant (familier).
7. **Molli**: rendu mou.
8. **Empâtait**: nourrissait pour faire grossir.
9. **Pot-au-feu**: plat de viande et de légumes cuits dans un bouillon.
10. **Légère voiture**: petite voiture tirée par des chevaux.

«Oh! regarde, Henri, ce tas d'enfants! Sont-ils jolis, comme
35 ça, à grouiller dans la poussière!»

L'homme ne répondit rien, accoutumé à ces admirations qui
étaient une douleur et presque un reproche pour lui.

La jeune femme reprit:

«Il faut que je les embrasse! Oh! comme je voudrais en avoir
40 un, celui-là, le tout-petit.»

Et, sautant de la voiture, elle courut aux enfants, prit un des
deux derniers, celui des Tuvache, et, l'enlevant dans ses bras,
elle le baisa[1] passionnément sur ses joues sales, sur ses cheveux
blonds frisés et pommadés[2] de terre, sur ses menottes[3] qu'il
45 agitait pour se débarrasser des caresses ennuyeuses.

Puis elle remonta dans sa voiture et partit au grand trot. Mais
elle revint la semaine suivante, s'assit elle-même par terre, prit le
moutard dans ses bras, le bourra de gâteaux, donna des bonbons
à tous les autres; et joua avec eux comme une gamine, tandis que
50 son mari attendait patiemment dans sa frêle[4] voiture.

Elle revint encore, fit connaissance avec les parents, reparut
tous les jours, les poches pleines de friandises et de sous. Elle
s'appelait Mme Henri d'Hubières.

Un matin, en arrivant, son mari descendit avec elle; et, sans
55 s'arrêter aux mioches, qui la connaissaient bien maintenant, elle
pénétra dans la demeure des paysans.

Ils étaient là, en train de fendre[5] du bois pour la soupe; ils se
redressèrent tout surpris, donnèrent des chaises et attendirent.

Alors la jeune femme, d'une voix entrecoupée[6], tremblante,
60 commença:

---

1. Baisa: embrassa.
2. Pommadés: recouverts.
3. Menottes: petites mains.
4. Frêle: légère, fragile.
5. Fendre: couper.
6. Entrecoupée: interrompue, saccadée.

« Mes braves gens, je viens vous trouver parce que je voudrais bien… je voudrais bien emmener avec moi votre… votre petit garçon… »

Les campagnards, stupéfaits et sans idée, ne répondirent pas.

65 Elle reprit haleine et continua.

« Nous n'avons pas d'enfants ; nous sommes seuls, mon mari et moi… Nous le garderions… voulez-vous ? »

La paysanne commençait à comprendre. Elle demanda :

« Vous voulez nous prend'e Charlot ? Ah ben non, pour sûr. »

70 Alors M. d'Hubières intervint :

« Ma femme s'est mal expliquée. Nous voulons l'adopter, mais il reviendra vous voir. S'il tourne bien, comme tout porte à le croire, il sera notre héritier. Si nous avions, par hasard, des enfants, il partagerait également avec eux. Mais s'il ne répondait pas à nos

75 soins, nous lui donnerions, à sa majorité, une somme de vingt mille francs, qui sera immédiatement déposée en son nom chez un notaire. Et, comme on a aussi pensé à vous, on vous servira jusqu'à votre mort une rente[1] de cent francs par mois. Avez-vous bien compris ? »

80 La fermière s'était levée, toute furieuse.

« Vous voulez que j'vous vendions Charlot ? Ah ! mais non ; c'est pas des choses qu'on d'mande à une mère, ça ! Ah ! mais non ! Ce s'rait une abomination[2]. »

L'homme ne disait rien, grave et réfléchi ; mais il approuvait

85 sa femme d'un mouvement continu de la tête.

Mme d'Hubières, éperdue[3], se mit à pleurer, et, se tournant vers son mari, avec une voix pleine de sanglots, une voix d'enfant dont tous les désirs ordinaires sont satisfaits, elle balbutia :

« Ils ne veulent pas, Henri, ils ne veulent pas ! »

90 Alors ils firent une dernière tentative.

---

1. Rente : somme d'argent versée de façon régulière.
2. Abomination : chose abominable.
3. Éperdue : bouleversée.

« Mais, mes amis, songez à l'avenir de votre enfant, à son bonheur, à… »

La paysanne, exaspérée, lui coupa la parole :

« C'est tout vu, c'est tout entendu, c'est tout réfléchi… Allez-vous-
en, et pi, que j'vous revoie point par ici. C'est-i permis d'vouloir
prendre un éfant comme ça ! »

Alors, Mme d'Hubières, en sortant, s'avisa[1] qu'ils étaient deux
tout-petits, et elle demanda à travers ses larmes, avec une ténacité[2] de femme volontaire et gâtée, qui ne veut jamais attendre :

« Mais l'autre petit n'est pas à vous ? »

Le père Tuvache répondit :

« Non, c'est aux voisins ; vous pouvez y aller, si vous voulez. »

Et il rentra dans sa maison, où retentissait la voix indignée de sa femme.

Les Vallin étaient à table, en train de manger avec lenteur des tranches de pain qu'ils frottaient parcimonieusement[3] avec un peu de beurre piqué au couteau, dans une assiette entre eux deux.

M. d'Hubières recommença ses propositions, mais avec plus d'insinuations, de précautions oratoires, d'astuce[4].

Les deux ruraux[5] hochaient la tête en signe de refus ; mais quand ils apprirent qu'ils auraient cent francs par mois, ils se considérèrent, se consultant de l'œil, très ébranlés[6].

Ils gardèrent longtemps le silence, torturés, hésitants. La femme enfin demanda :

« Qué qu't'en dis, l'homme ? »

Il prononça d'un ton sentencieux[7] :

---

1. **S'avisa** : se rendit compte.
2. **Ténacité** : entêtement.
3. **Parcimonieusement** : modestement.
4. **Plus d'insinuations, de précautions oratoires, d'astuce** : de manière plus délicate, plus rusée.
5. **Les deux ruraux** : le couple de campagnards.
6. **Ébranlés** : émus, perturbés.
7. **Sentencieux** : grave et catégorique.

«J'dis qu'c'est point méprisable[1].»

Alors Mme d'Hubières, qui tremblait d'angoisse, leur parla de l'avenir du petit, de son bonheur, et de tout l'argent qu'il pourrait leur donner plus tard.

Le paysan demanda:

«C'te rente de douze cents francs, ce s'ra promis d'vant l'notaire?»

M. d'Hubières répondit:

«Mais certainement, dès demain.»

La fermière, qui méditait[2], reprit:

«Cent francs par mois, c'est point suffisant pour nous priver du p'tit; ça travaillera dans quéqu'z'ans c't'éfant; i nous faut cent vingt francs.»

Mme d'Hubières, trépignant d'impatience[3], les accorda tout de suite; et, comme elle voulait enlever l'enfant, elle donna cent francs en cadeau pendant que son mari faisait un écrit. Le maire et un voisin, appelés aussitôt, servirent de témoins complaisants[4].

Et la jeune femme, radieuse, emporta le marmot[5] hurlant, comme on emporte un bibelot[6] désiré d'un magasin.

Les Tuvache, sur leur porte, le regardaient partir, muets, sévères, regrettant peut-être leur refus.

On n'entendit plus du tout parler du petit Jean Vallin. Les parents, chaque mois, allaient toucher leurs cent vingt francs chez le notaire; et ils étaient fâchés avec leurs voisins parce que la mère Tuvache les agonisait d'ignominies[7], répétant sans cesse de porte

---

1. **C'est point méprisable**: ce n'est pas rien, cela mérite qu'on y réfléchisse.
2. **Méditait**: réfléchissait.
3. **Trépignant d'impatience**: manifestant son impatience par des mouvements nerveux.
4. **Complaisants**: qui acceptent de rendre service.
5. **Marmot**: enfant (familier).
6. **Bibelot**: petit objet décoratif.
7. **Les agonisait d'ignominies**: les accablait d'insultes.

en porte qu'il fallait être dénaturé[1] pour vendre son enfant, que c'était une horreur, une saleté, une corromperie[2].

145 Et parfois elle prenait en ses bras son Charlot avec ostentation[3], lui criant, comme s'il eût compris:

«J't'ai pas vendu, mé, j't'ai pas vendu, mon p'tiot. J'vends pas m's éfants, mé. J'sieus pas riche, mais vends pas m's'éfants.»

Et, pendant des années et encore des années, ce fut ainsi chaque 150 jour; chaque jour des allusions grossières qui étaient vociférées[4] devant la porte, de façon à entrer dans la maison voisine. La mère Tuvache avait fini par se croire supérieure à toute la contrée parce qu'elle n'avait pas vendu Charlot. Et ceux qui parlaient d'elle disaient:

155 «J'sais ben que c'était engageant[5], c'est égal, elle s'a conduite comme une bonne mère.»

On la citait; et Charlot, qui prenait dix-huit ans, élevé dans cette idée qu'on lui répétait sans répit, se jugeait lui-même supérieur à ses camarades, parce qu'on ne l'avait pas vendu.

160 Les Vallin vivotaient à leur aise, grâce à la pension. La fureur inapaisable[6] des Tuvache, restés misérables, venait de là.

Leur fils aîné partit au service[7]. Le second mourut; Charlot resta seul à peiner avec le vieux père pour nourrir la mère et deux autres sœurs cadettes qu'il avait.

165 Il prenait vingt et un ans, quand, un matin, une brillante voiture s'arrêta devant les deux chaumières. Un jeune monsieur, avec une chaîne de montre en or, descendit, donnant la main à une vieille dame en cheveux blancs. La vieille dame lui dit:

---

1. Dénaturé: moralement dérangé.
2. Corromperie: néologisme paysan pour désigner l'action des Vallin qui ont «vendu» leur enfant.
3. Avec ostentation: de manière à se faire remarquer.
4. Vociférées: criées avec reproches, injures.
5. Engageant: tentant.
6. Inapaisable: que rien ne pouvait calmer.
7. Service: service militaire.

«C'est là, mon enfant, à la seconde maison.»

170 Et il entra comme chez lui dans la masure des Vallin.

La vieille mère lavait ses tabliers; le père, infirme[1], sommeillait près de l'âtre[2]. Tous deux levèrent la tête, et le jeune homme dit:

«Bonjour, papa; bonjour, maman.»

Ils se dressèrent effarés[3]. La paysanne laissa tomber d'émoi[4]

175 son savon dans son eau et balbutia:

«C'est-i té, m'n éfant? C'est-i té, m'n éfant?»

Il la prit dans ses bras et l'embrassa, en répétant:

«Bonjour, maman.»

Tandis que le vieux, tout tremblant, disait, de son ton calme

180 qu'il ne perdait jamais:

«Te v'là-t'il revenu, Jean?»

Comme s'il l'avait vu un mois auparavant.

Et, quand ils se furent reconnus, les parents voulurent tout de suite sortir le fieu[5] dans le pays pour le montrer. On le conduisit

185 chez le maire, chez l'adjoint, chez le curé, chez l'instituteur.

Charlot, debout sur le seuil de sa chaumière, le regardait passer.

Le soir au souper, il dit aux vieux:

«Faut-il qu'vous ayez été sots pour laisser prendre le p'tit aux Vallin!»

190 Sa mère répondit obstinément:

«J'voulions point vendre not'éfant.»

Le père ne disait rien.

Le fils reprit:

«C'est-il pas malheureux d'être sacrifié comme ça.»

195 Alors le père Tuvache articula d'un ton coléreux:

«Vas-tu pas nous r'procher d' t'avoir gardé?»

Et le jeune homme, brutalement:

---

1. **Infirme**: affaibli, physiquement diminué.
2. **Âtre**: partie de la cheminée où l'on fait le feu.
3. **Effarés**: stupéfaits.
4. **Émoi**: trouble, forte émotion.
5. **Fieu**: fils (patois normand).

«Oui, j'vous le r'proche, que vous n'êtes que des niants[1]. Des parents comme vous ça fait l'malheur des éfants. Qu'vous méri-
teriez que j'vous quitte.»

La bonne femme pleurait dans son assiette. Elle gémit tout en avalant des cuillerées de soupe dont elle répandait la moitié :

«Tuez-vous donc pour élever d's éfants!»

Alors le gars, rudement[2] :

«J'aimerais mieux n'être point né que d'être c'que j'suis. Quand j'ai vu l'autre, tantôt, mon sang n'a fait qu'un tour. Je m'suis dit :
– v'là c'que j'serais maintenant.»

Il se leva.

«Tenez, j'sens bien que je ferais mieux de n'pas rester ici, parce que j'vous le reprocherais du matin au soir, et que j'vous ferais une vie d'misère. Ça, voyez-vous, j'vous l'pardonnerai jamais!»

Les deux vieux se taisaient, atterrés[3], larmoyants.

Il reprit :

«Non, c't'idée-là, ce serait trop dur. J'aime mieux m'en aller chercher ma vie aut'part.»

Il ouvrit la porte. Un bruit de voix entra. Les Vallin festoyaient avec l'enfant revenu.

Alors Charlot tapa du pied et, se tournant vers ses parents, cria :

«Manants[4], va!»

Et il disparut dans la nuit.

---

1. **Niants** : ignares, sans culture ni éducation.
2. **Rudement** : durement, sans ménagement.
3. **Atterrés** : abattus, consternés.
4. **Manants** : personnes grossières, rustres.

Un quiz pour commencer

Cochez les bonnes réponses.

1 *Qui est Gianetto Sanpiero dans* Mateo Falcone ?

❐ Un cousin de Mateo Falcone.

❐ Un ami de Fortunato.

❐ Un bandit.

2 *Pourquoi Fortunato dénonce-t-il finalement Gianetto ?*

❐ Parce qu'il veut que justice soit rendue.

❐ Parce que l'adjudant Gamba lui offre une montre en échange de son aide.

❐ Parce qu'il a peur d'être puni.

3 *Pour quelle raison Mateo Falcone tue-t-il son fils Fortunato ?*

❐ Parce qu'il a découvert qu'il n'était pas son vrai fils.

❐ Parce qu'il a caché un bandit.

❐ Parce qu'il a commis un acte de trahison.

4 *Dans* Le Papa de Simon, *quelle situation provoque les moqueries des camarades de Simon ?*

❑ Simon est en retard à l'école.

❑ Simon ne sait ni lire ni écrire.

❑ Simon n'a pas de papa.

5 *Pourquoi la Blanchotte vit-elle seule avec son fils Simon ?*

❑ Parce que son époux est décédé.

❑ Parce que le père de Simon l'a abandonnée.

❑ Parce qu'elle refuse de prendre un mari.

6 *Comment le problème de Simon se résout-il finalement ?*

❑ Il s'invente un père imaginaire mort à la guerre.

❑ Il demande au père d'un de ses camarades de l'adopter.

❑ Philippe Remy demande à la Blanchotte de l'épouser.

7 *Dans* Aux champs, *que propose Mme d'Hubières aux Tuvache ?*

❑ De payer les vêtements et l'éducation de leur fils.

❑ D'emmener leur fils pour l'élever, en échange d'une importante somme d'argent.

❑ De leur rendre visite tous les jours pour jouer avec leurs enfants.

8 *Que reproche Mme Tuvache aux Vallin ?*

❑ De critiquer sa famille.

❑ D'avoir des enfants sales et bagarreurs.

❑ D'avoir accepté de vendre leur enfant.

9 *Que ressent Charlot Tuvache lorsque, adulte, il revoit Jean Vallin ?*

❑ Il le méprise et remercie ses parents de ne pas l'avoir vendu.

❑ Il l'envie et reproche à ses parents de ne pas l'avoir vendu.

❑ Il est heureux de retrouver son ami d'enfance.

Des questions pour aller plus loin

→ *Découvrir les caractéristiques de la nouvelle réaliste*

Des récits brefs, à l'action resserrée et au dénouement inattendu

1 Observez la longueur des trois récits. Que pouvez-vous en déduire sur le genre de la nouvelle ?

2 Résumez l'intrigue de chaque nouvelle en complétant le tableau suivant. Que remarquez-vous ?

	Mateo Falcone	*Le Papa de Simon*	*Aux champs*
Situation initiale			
Élément perturbateur			
Péripéties			
Éléments de résolution			
Situation finale			

3 Où l'action de chaque récit se déroule-t-elle ? Dans quelle mesure peut-on dire que le cadre spatial repose sur une unité de lieu ?

4 Relisez le portrait de la Blanchotte dans les lignes 259 à 261 du *Papa de Simon* et relevez les termes et expressions qui la caractérisent. Le lecteur a-t-il d'autres informations sur la jeune femme ? Que peut-on en conclure sur la façon dont l'auteur présente ce personnage ?

5 Le dénouement de chacune de ces nouvelles était-il prévisible, selon vous ? Lequel trouvez-vous particulièrement brutal ou inattendu ? Justifiez votre réponse.

Des récits qui donnent l'illusion de la réalité

6 Relevez les différentes catégories d'informations (géographiques, sociologiques...) développées dans le premier paragraphe de *Mateo Falcone* : de quel type de texte pouvez-vous rapprocher ce passage ? Quel est l'effet produit ?

7 Relisez les lignes 236 à 242 dans *Le Papa de Simon* et les lignes 18 à 28 dans *Aux champs*. Quels milieux sociaux y sont décrits ? Quels éléments de ces descriptions créent une impression de réel ?

8 Quel est le point de vue narratif employé dans ces textes ? En quoi cela renforce-t-il le réalisme de ces nouvelles ?

9 Observez la description de Mateo Falcone dans les lignes 29 à 65. Sur quelle(s) source(s) d'informations le narrateur s'appuie-t-il pour dresser ce portrait ?

10 Dans les lignes 23 à 80, relevez les éléments de description des « garnements » et de Simon. À l'aide de quels procédés le narrateur caractérise-t-il ces personnages ? Quel sentiment cherche-t-il à susciter chez le lecteur à l'égard de Simon ?

Zoom sur *Aux champs* (p. 39-47)

11 À quoi les enfants des deux familles sont-ils comparés au début de la nouvelle ? Que peut-on en déduire sur les relations entre parents et enfants dans ces familles paysannes ?

12 Relevez dans le texte les mots ou expressions qui soulignent la misère dans laquelle vivent les Tuvache et les Vallin. Quels indices soulignent au contraire la richesse des d'Hubières ?

13 Comparez les répliques des Tuvache et des Vallin : qu'ont-elles de particulier et en quoi se différencient-elles de celles des d'Hubières ? Quel est l'effet produit ?

14 À la fin de la nouvelle, quels sentiments éprouvent respectivement Jean Vallin et Charlot Tuvache à l'égard de leurs parents ?

15 En quoi la réaction de Charlot est-elle violente et surprenante ? Quel questionnement moral le dénouement de cette nouvelle pose-t-il ?

✔ *Rappelez-vous !*

• Une nouvelle est un **récit bref**, centré sur un **nombre de personnages restreint** et une **intrigue resserrée**. Le récit est chargé d'une **forte intensité** que **renforce** la **« chute »** : un dénouement généralement soudain et brutal.

• La **nouvelle réaliste** vise à créer une **illusion de réalité** en créant un **« effet de réel »** : les **descriptions détaillées** (comme celle du maquis corse ou de Mateo Falcone dans la nouvelle de Mérimée) et le jeu sur les **niveaux de langue** (par exemple le contraste entre le patois normand des paysans et le langage du couple bourgeois dans *Aux champs*) permettent ainsi de caractériser les lieux et les personnages en fonction des catégories sociales de l'époque.

De la lecture à l'écriture

✎ *Des mots pour mieux écrire*

1 **Recopiez et complétez le tableau ci-dessous en classant selon leur niveau de langue les synonymes suivants.**

aîné	bambin	cadet	enfant	fille	fils	galopin
garnement	lignée	marmaille	marmot	mioche
moutard	progéniture	vaurien

Niveau de langue familier	Niveau de langue courant

2 **Complétez chacune des phrases suivantes à l'aide des mots qui conviennent. Vous pouvez vous aider d'un dictionnaire.**

| compassion | corruptible | générosité | honneur | ingratitude | intègre |

a. Fortunato Falcone révèle la cachette du bandit en échange d'une belle montre, il est facilement _____.

b. Mateo Falcone exécute son fils car celui-ci a entaché l'_____ de la famille.

c. Philippe Remy comprend la douleur qu'éprouve Simon. Sa _____ le pousse à accepter de devenir son père.

d. Mme d'Hubières offre des cadeaux aux enfants Tuvache et Vallin, cela révèle sa grande _____.

e. Mme Tuvache refuse de se séparer de son fils Charlot en échange d'un plus grand confort matériel, elle veut rester _____ et protéger sa famille.

f. Charlot Tuvache reproche à ses parents de l'avoir gardé auprès d'eux au lieu de le vendre au couple d'Hubières : il fait preuve d'_____ à leur égard.

À *vous d'écrire*

1 De retour chez lui, Mateo Falcone retrouve son épouse qui pleure la mort de son fils Fortunato et désapprouve l'acte de son mari. Imaginez le dialogue entre ces deux personnages.

Consigne. Votre dialogue d'une trentaine de lignes mettra en valeur les sentiments du père et de la mère et opposera leurs arguments respectifs. Vous veillerez à respecter les règles de présentation du dialogue (tirets, guillemets) et à varier les verbes de parole.

2 Après avoir quitté ses parents, Charlot leur adresse une lettre dans laquelle il explique les raisons de son départ. Rédigez cette lettre.

Consigne. Votre texte d'une trentaine de lignes exposera les reproches et sentiments de Charlot à l'égard de ses parents. Vous veillerez à respecter les règles de présentation de la lettre privée (date et lieu d'expédition, formules d'appel et de clôture, etc.).

Du texte à l'image

Jean-François Millet, *Des glaneuses*, 1857, huile sur toile, 83,5 x 110 cm, musée d'Orsay, Paris.

➡ **Image reproduite en début d'ouvrage, au verso de la couverture.**

👁 *Lire l'image*

1 Décrivez précisément l'image (technique employée, couleurs, composition).

2 Quels éléments de ce tableau sont caractéristiques du monde rural ?

3 Observez l'attitude des trois femmes : en quoi l'activité des glaneuses consiste-t-elle ?

📄 *Comparer le texte et l'image*

4 Dans quelle(s) nouvelle(s) de cette partie du recueil le travail des paysans est-il évoqué ?

5 En vous appuyant sur l'œuvre de Jean-François Millet et sur les textes identifiés à la question précédente, montrez comment les artistes réalistes représentent les conditions de vie de cette catégorie de la société.

✍ *À vous de créer*

6 🖱 Recherchez sur Internet ou au CDI d'autres œuvres de Jean-François Millet qui représentent le monde rural au XIXᵉ siècle. À l'aide d'un logiciel de traitement de texte et d'image, réalisez ensuite un diaporama dans lequel vous présenterez votre sélection d'œuvres en précisant leur titre et leur date de création.

Histoires d'amour malheureuses

Un mariage d'amour
Émile Zola

Journaliste et écrivain, Émile Zola (1840-1902) a publié de nombreux articles et textes littéraires dans la presse, dont la nouvelle *Un mariage d'amour*, paru dans *Le Figaro* du 24 décembre 1866. Ce récit s'inspire d'un roman, publié par le même journal, centré sur une affaire d'adultère criminelle...

Le roman que publie *Le Figaro*[1] et qui obtient un si légitime succès[2] d'émotion me rappelle une terrible histoire de passion et de souffrance. Je vais la conter en quelques mots, me réservant d'écrire un jour le volume qu'elle demanderait. Si je me
5 décide à la faire connaître aujourd'hui, c'est qu'elle renferme une haute leçon et qu'elle montre le coupable trouvant une effroyable punition dans l'impunité[3] même de son crime.

Imaginez que Furbice ait épousé Margaï, après avoir réussi à cacher l'assassinat de Pascoul[4] à la justice des hommes. Les
10 deux meurtriers, l'amant et la femme adultère, ont sauvé leur honneur ; ils vont maintenant vivre la vie de félicité[5] qu'ils ont

---

1. *Le Figaro* : journal quotidien, encore tiré de nos jours, dans lequel étaient publiés des nouvelles et des extraits de romans. En même temps que Zola publie *Un mariage d'amour*, *Le Figaro* fait paraître, sous la forme d'un feuilleton, un roman centré sur une histoire d'adultère criminelle : *La Vénus de Gordes*, d'Adolphe Bélot et d'Ernest Daudet.
2. Si légitime succès : succès si mérité.
3. Impunité : absence de punition.
4. Furbice, Margaï et Pascoul : personnages de *La Vénus de Gordes*.
5. Félicité : bonheur extrême.

rêvée; les voilà réunis à jamais, liés par la volupté[1] et par le sang, pouvant contenter enfin à l'aise leurs appétits de richesse et de luxure[2].

15   Écoutez l'histoire d'un semblable mariage d'amour.

*

    Michel avait vingt-cinq ans lorsqu'il épousa Suzanne, une jeune femme de son âge, d'une maigreur nerveuse, ni laide, ni belle, mais ayant dans son visage effilé[3] deux grands beaux yeux qui allaient largement d'une tempe[4] à l'autre. Ils vécurent trois années
20 sans querelles[5], ne recevant guère que Jacques, un ami du mari, dont la femme devint peu à peu passionnément amoureuse. Jacques se laissa aller à la douceur cuisante[6] de cette passion. D'ailleurs, la paix du ménage[7] ne fut pas troublée; les amants étaient lâches, et reculaient devant la certitude d'un scandale.
25 Sans en avoir conscience, ils en arrivèrent lentement au projet de se débarrasser de Michel. Un meurtre devait tout arranger, en leur permettant de s'aimer en liberté et selon la loi.

    Un jour, ils décidèrent le mari à faire une partie de campagne[8]. On alla à Corbeil[9], et là, lorsque le dîner eut été commandé,
30 Jacques proposa et fit accepter une promenade en canot sur la Seine. Il prit les rames et descendit la rivière, tandis que ses compagnons chantaient et riaient comme des enfants.

    Quand la barque fut en pleine Seine, cachée derrière les hautes futaies[10] d'une île, Jacques saisit brusquement Michel et essaya de le

---

1. **Volupté**: plaisir.
2. **Luxure**: débauche sexuelle.
3. **Effilé**: de forme allongée.
4. **Tempe**: zone située sur le côté de la tête, entre l'œil et l'oreille.
5. **Querelles**: disputes.
6. **Cuisante**: vive.
7. **Ménage**: couple.
8. **Partie de campagne**: journée que les citadins passent à la campagne.
9. **Corbeil**: ville située à une trentaine de kilomètres au sud-est de Paris.
10. **Futaies**: ensemble d'arbres de haute taille.

35 jeter à l'eau. Suzanne cessa de chanter ; elle détourna la tête, pâle, les lèvres serrées, silencieuse et frissonnante. Les deux hommes luttèrent un instant sur le bord de la barque qui s'enfonçait en craquant. Michel, surpris, ne pouvant comprendre, se défendit, muet, avec l'instinct d'une bête qu'on attaque ; il mordit Jacques
40 à la joue, enleva presque le morceau, et tomba dans la rivière en appelant sa femme avec rage et terreur. Il ne savait pas nager.

Alors Jacques, prenant Suzanne dans ses bras, se jeta à l'eau de façon à faire chavirer la barque. Puis il se mit à crier, à appeler au secours. Il soutenait la jeune femme, et, comme il était excellent
45 nageur, il atteignit aisément la rive, où plusieurs personnes se trouvaient déjà rassemblées.

La terrible comédie était jouée. Suzanne, évanouie et froide, gisait[1] sur le sable ; Jacques pleurait, se désespérait, implorant de prompts[2] secours pour son ami. Le lendemain, les journaux
50 racontèrent l'accident, et les amants ayant toujours été aussi prudents que lâches, la pensée qu'un crime avait pu être commis ne vint à personne. Jacques en fut quitte pour[3] expliquer la large morsure de Michel, en disant qu'un clou de la barque lui avait déchiré la joue.

*

55 Il fallait attendre au moins treize mois[4]. Les amants s'étaient concertés à l'avance et avaient décidé qu'ils agiraient avec la plus grande prudence. Ils évitèrent de se voir ; ils ne se rencontrèrent que devant témoins.

---

1. **Gisait** : était étendue sans mouvement (imparfait du verbe « gésir »).
2. **Prompts** : rapides.
3. **En fut quitte pour** : n'eut rien d'autre à faire que.
4. La durée réglementaire pour se remarier religieusement après un veuvage était de treize mois.

Le moindre empressement[1] aurait peut-être éveillé les soupçons.
60   Jacques, pendant les huit premiers jours, alla régulièrement
à la Morgue[2] chaque matin. Quand il eut retrouvé et reconnu
sur une des dalles blanches le cadavre de Michel, il le réclama
au nom de la veuve et le fit enterrer. Il avait commis froidement
le crime, et éprouva un frisson d'épouvante en face de sa vic-
65   time horriblement défigurée, toute marbrée[3] de taches bleues
et vertes. Dès lors, il eut toujours devant les yeux le visage gonflé
et grimaçant du noyé.

Dix-huit mois s'écoulèrent. Les amants se virent rarement ;
à chaque rencontre, ils éprouvèrent un étrange malaise. Ils attri-
70   buèrent cette sensation pénible à la peur, à l'âpre[4] désir qu'ils
avaient d'en finir avec cette funèbre[5] histoire, en se mariant et
en goûtant enfin les douceurs de leur amour. Jacques souffrait
surtout de sa solitude ; les dents de Michel avaient laissé sur sa
joue des traces blanches, et il semblait parfois au meurtrier que
75   ces cicatrices brûlaient sa chair et dévoraient son visage. Il espérait
que Suzanne, sous ses baisers, apaiserait la cuisson des terribles
brûlures.

Quand ils crurent avoir assez attendu, ils se marièrent et toutes
leurs connaissances applaudirent. Ils goûtèrent, pendant les pré-
80   paratifs de la noce, une joie nerveuse qui les trompa eux-mêmes.
La vérité était que, depuis le crime, ils frissonnaient tous deux la
nuit, secoués par d'effrayants cauchemars, et qu'ils avaient hâte
de s'unir contre leur épouvante pour la vaincre.

*

---

1. **Empressement** : précipitation.
2. **Morgue** : lieu où sont exposés les cadavres dont l'identité n'est pas encore établie.
3. **Marbrée** : marquée.
4. **Âpre** : fort, violent.
5. **Funèbre** : sinistre.

Lorsqu'ils se trouvèrent seuls dans la chambre nuptiale[1], ils
85 s'assirent, embarrassés et inquiets, devant un feu clair qui éclairait
la pièce de larges clartés jaunes.

Jacques voulut parler d'amour, mais sa bouche était sèche,
et il ne put trouver un mot ; Suzanne, glacée et comme morte,
cherchait en elle avec désespoir sa passion qui s'en était allée de
90 sa chair et de son cœur.

Alors, ils essayèrent d'être banals et de causer comme des gens
qui se seraient vus pour la première fois. Mais les paroles leur
manquèrent. Tous deux ils pensaient invinciblement[2] au pauvre
noyé, et, tandis qu'ils échangeaient des mots vides, ils se devinaient
95 l'un l'autre[3]. Leur causerie[4] cessa ; dans le silence, il leur sembla
qu'ils continuaient à s'entretenir de Michel. Ce terrible silence,
plein de phrases épouvantées et cruelles, devenait accablant,
insoutenable. Suzanne, toute blanche dans sa toilette de nuit,
se leva et, tournant la tête :

100 « Vous l'avez vu à la Morgue ? demanda-t-elle d'une voix étouffée.

– Oui, répondit Jacques en frissonnant.

– Paraissait-il avoir beaucoup souffert ? »

Jacques ne put répondre. Il fit un geste, comme pour écarter
une vision ignoble et odieuse, et il s'avança vers Suzanne, les
105 bras ouverts.

« Embrasse-moi, dit-il en tendant la joue où se montraient des
marques blanches.

– Oh ! non, jamais…, pas là ! » s'écria Suzanne qui recula en
frémissant.

110 Ils s'assirent de nouveau devant le feu, effrayés et irrités. Leurs
longs silences étaient coupés par des paroles amères, par des
reproches et des plaintes.

Telle fut leur nuit de noces.

---

1. **Chambre nuptiale** : chambre des jeunes mariés.
2. **Invinciblement** : irrésistiblement.
3. **Se devinaient l'un l'autre** : comprenaient ce que l'autre pensait.
4. **Causerie** : discussion sur des sujets légers.

*

Dès lors, un drame navrant[1] se passa entre les deux misérables[2].
115 Je ne puis en raconter tous les actes, et je me contente d'indiquer
brièvement les principales péripéties[3].

Le cadavre de Michel se mit entre Jacques et Suzanne. Au lit,
ils s'écartaient l'un de l'autre et semblaient lui faire place. Dans
leurs baisers, leurs lèvres devenaient froides, comme si la mort
120 se fût placée entre leurs bouches. Et c'étaient des terreurs conti-
nuelles, des effrois brusques qui les séparaient, des hallucinations
qui leur montraient leur victime partout et à chaque heure.

Cet homme et cette femme ne pouvaient plus s'aimer. Ils étaient
tout à leur épouvante. Ils ne vivaient ensemble que pour se pro-
125 téger contre le noyé. Parfois encore ils se serraient avec force
l'un contre l'autre, s'unissaient avec désespoir, mais c'était afin
d'échapper à leurs sinistres visions.

Puis la haine vint. Ils s'irritèrent contre leur crime, ils se déses-
pérèrent d'avoir troublé leur vie à jamais. Alors ils s'accusèrent
130 mutuellement. Jacques reprocha amèrement à Suzanne de l'avoir
poussé au meurtre et Suzanne lui cria qu'il mentait et qu'il était
le seul coupable. La colère accroissait[4] leurs angoisses, et chaque
jour, pour le moindre souvenir, la querelle recommençait, plus
âpre et plus cruelle. Les deux assassins tournaient ainsi comme
135 des bêtes fauves, dans la vie de souffrance qu'ils s'étaient faite,
se déchirant eux-mêmes, haletants, obligés de se taire.

Suzanne regretta Michel, le pleura tout haut, vanta au meurtrier les vertus[5] de sa victime, et Jacques dut vivre en entendant
toujours parler de cet homme qu'il avait jeté à l'eau et dont
140 le cadavre était si horrible sur une dalle de la Morgue. Il avait

---

1. Navrant: fâcheux et regrettable.
2. Misérables: ici, malheureux.
3. Péripéties: événements.
4. Accroissait: augmentait.
5. Vertus: qualités morales.

souvent des heures de délire, et il accablait sa complice d'injures, la battait, lui répétait avec des cris l'histoire du meurtre, et lui prouvait que c'était elle qui avait tout fait, en lui donnant la folie de la passion.

145   S'il n'avait eu peur de trop souffrir, il se serait coupé la joue, pour enlever les traces des dents de Michel. Suzanne pleurait en regardant ces cicatrices, et le visage de Jacques était devenu pour elle un objet d'horreur dont la vue la secouait d'un éternel frisson.

*

Enfin se joua le dernier acte de ce drame poignant[1]. Après la
150   haine, vinrent la crainte et la lâcheté ; les deux assassins eurent peur l'un de l'autre.

Ils comprirent qu'ils ne pouvaient vivre plus longtemps dans la fièvre du remords ; ils voyaient avec terreur leur abattement[2] mutuel, et ils tremblaient en pensant que l'un d'eux parlerait à
155   coup sûr un jour ou l'autre.

Alors ils se surveillèrent ; leurs souffrances étaient intolérables, mais ils ne voulaient pas la délivrance par le châtiment[3]. Ils se suivirent partout, ils s'étudièrent dans leurs moindres actes ; à chaque nouvelle querelle, ils se menaçaient de tout dire, puis ils
160   se suppliaient à mains jointes de garder le silence, et ils restaient soupçonneux et farouches[4]. Vie terrible, qui les traînait dans toutes les angoisses du remords et de l'effroi.

Ils en vinrent chacun à l'idée de se débarrasser d'un complice redoutable. Suzanne espérait vivre plus calme, lorsqu'elle ne ver-
165   rait plus la joue couturée[5] de Jacques, et Jacques pensait pouvoir tuer son premier crime en tuant Suzanne.

---

1. **Poignant** : qui cause une vive émotion.
2. **Abattement** : épuisement moral.
3. **Châtiment** : punition (généralement d'ordre divin).
4. **Farouches** : craintifs.
5. **Couturée** : marquée par une cicatrice.

Un jour, ils se surprirent, versant mutuellement du poison dans leurs verres. Ils éclatèrent en sanglots, leur fièvre tomba, et ils se jetèrent dans les bras l'un de l'autre. Ils pleurèrent longtemps,
170 demandant pardon, comprenant leur infamie[1], se disant que l'heure était venue de mourir. Ce fut là une dernière crise qui les soulagea.

Ils burent chacun le poison qu'ils avaient versé, et expirèrent[2] à la même heure, liés dans la mort comme ils avaient été liés
175 dans le crime. On trouva sur une table leur confession[3], et c'est après avoir lu ce testament[4] sinistre, que j'ai pu écrire l'histoire de ce mariage d'amour.

---

1. **Infamie** : condition méprisable, honteuse.
2. **Expirèrent** : moururent.
3. **Confession** : ici, lettre dans laquelle une personne avoue ses péchés.
4. **Testament** : texte par lequel une personne fait connaître ses dernières volontés.

Histoire vraie

Guy de Maupassant

Cette nouvelle, issue du recueil *Contes du jour et de la nuit* (1885), est parue pour la première fois dans *Le Gaulois* du 18 juin 1882. Guy de Maupassant (1850-1893) y poursuit son analyse des rapports humains, cette fois dans le cadre du couple, dont il interroge les limites dans une société où pèsent les contraintes sociales et financières.

Un grand vent soufflait au-dehors, un vent d'automne mugissant[1] et galopant, un de ces vents qui tuent les dernières feuilles et les emportent jusqu'aux nuages.

Les chasseurs achevaient leur dîner, encore bottés[2], rouges,
5 animés, allumés[3]. C'étaient de ces demi-seigneurs normands, mi-hobereaux[4], mi-paysans, riches et vigoureux, taillés pour casser les cornes des bœufs lorsqu'ils les arrêtent dans les foires. Ils avaient chassé tout le jour sur les terres de maître Blondel, le maire d'Éparville[5], et ils mangeaient maintenant autour de
10 la grande table, dans l'espèce de ferme-château dont était propriétaire leur hôte[6].

---

1. Mugissant: qui fait un bruit prolongé et sourd, semblable au cri du bœuf ou de la vache.
2. Encore bottés: portant toujours leurs bottes de chasseurs.
3. Allumés: dont les visages sont rougis par l'alcool.
4. Hobereaux: petits nobles campagnards.
5. Éparville: nom de ville imaginaire, à consonance normande (plus loin, Rollebec est également une invention de Maupassant). D'autres noms de ville sont en revanche réels dans cette nouvelle, comme Cauville, Barneville et Villebon, situées en Normandie.
6. Hôte: personne qui reçoit chez lui.

Ils parlaient comme on hurle, riaient comme rugissent les fauves, et buvaient comme des citernes[1], les jambes allongées, les coudes sur la nappe, les yeux luisants sous la flamme des
15   lampes, chauffés par un foyer formidable[2] qui jetait au plafond des lueurs sanglantes ; ils causaient de chasse et de chiens. Mais ils étaient, à l'heure où d'autres idées viennent aux hommes, à moitié gris[3], et tous suivaient de l'œil une forte fille aux joues rebondies qui portait au bout de ses poings rouges les larges
20   plats chargés de nourritures.

Soudain un grand diable[4] qui était devenu vétérinaire après avoir étudié pour être prêtre, et qui soignait toutes les bêtes de l'arrondissement[5], M. Séjour, s'écria :

« Crébleu, maît' Blondel, vous avez là une bobonne qui n'est
25   pas piquée des vers[6]. »

Et un rire retentissant éclata. Alors un vieux noble déclassé[7], tombé dans l'alcool, M. de Varnetot, éleva la voix :

« C'est moi qui ai eu jadis une drôle d'histoire avec une fillette comme ça ! Tenez, il faut que je vous la raconte. Toutes les fois que
30   j'y pense, ça me rappelle Mirza, ma chienne, que j'avais vendue au comte d'Haussonnel et qui revenait tous les jours, dès qu'on la lâchait, tant elle ne pouvait me quitter. À la fin je m'suis fâché et j'ai prié l'comte de la tenir à la chaîne. Savez-vous c'qu'elle a fait c'te bête ? Elle est morte de chagrin.
35   Mais, pour en revenir à ma bonne, v'là l'histoire. »

*

---

1. **Citernes** : grands réservoirs (la comparaison souligne ici la grande quantité d'alcool consommée par les chasseurs).
2. **Formidable** : ici, impressionnant.
3. **Gris** : soûls.
4. **Diable** : ici, jeune homme (familier).
5. **Arrondissement** : secteur géographique, circonscription administrative.
6. **Qui n'est pas piquée des vers** : qui n'est pas désagréable à regarder.
7. **Déclassé** : ayant perdu son rang de noblesse.

J'avais alors vingt-cinq ans et je vivais en garçon[1], dans mon château de Villebon. Vous savez, quand on est jeune, et qu'on a des rentes[2], et qu'on s'embête tous les soirs après dîner, on a l'œil de tous les côtés.

40   Bientôt je découvris une jeunesse[3] qui était en service chez Déboultot, de Cauville. Vous avez bien connu Déboultot, vous, Blondel! Bref, elle m'enjôla[4] si bien, la gredine[5], que j'allai un jour trouver son maître et je lui proposai une affaire. Il me céderait[6] sa servante et je lui vendrais ma jument noire, Cocote, dont

45 il avait envie depuis bientôt deux ans. Il me tendit la main :

«Topez là[7], monsieur de Varnetot.»

C'était marché conclu; la petite vint au château et je conduisis moi-même à Cauville ma jument, que je laissai pour trois cents écus[8].

50   Dans les premiers temps, ça alla comme sur des roulettes. Personne ne se doutait de rien; seulement Rose m'aimait un peu trop pour mon goût. C't'enfant-là, voyez-vous, ce n'était pas n'importe qui. Elle devait avoir quéqu'chose de pas commun dans les veines. Ça venait encore de quéqu' fille qui aura fauté[9]

55 avec son maître.

Bref, elle m'adorait. C'était des cajoleries[10], des mamours, des p'tits noms de chien, un tas d'gentillesses à me donner des réflexions.

Je me disais : «Faut pas qu'ça dure, ou je me laisserai prendre!» Mais on ne me prend pas facilement, moi. Je ne suis pas de ceux

---

1. **En garçon** : en célibataire.
2. **Rentes** : revenus réguliers issus des biens possédés (souvent des terres) et non du travail.
3. **Jeunesse** : ici, jeune fille (familier).
4. **M'enjôla** : me séduisit.
5. **Gredine** : coquine.
6. **Céderait** : donnerait.
7. **Topez-là** : tapez-moi dans la main (en signe d'accord).
8. **Écus** : ancienne monnaie.
9. **Fille qui aura fauté** : servante qui aura eu des relations illégitimes.
10. **Cajoleries** : paroles et manières tendres, destinées à plaire.

60 qu'on enjôle avec deux baisers. Enfin j'avais l'œil ; quand elle m'annonça qu'elle était grosse[1].

Pif ! pan ! c'est comme si on m'avait tiré deux coups de fusil dans la poitrine. Et elle m'embrassait, elle m'embrassait, elle riait, elle dansait, elle était folle, quoi ! Je ne dis rien le premier 65 jour ; mais, la nuit, je me raisonnai. Je pensais : « Ça y est ; mais faut parer le coup[2], et couper le fil, il n'est que temps. » Vous comprenez, j'avais mon père et ma mère à Barneville, et ma sœur mariée au marquis d'Yspare, à Rollebec, à deux lieues de Villebon. Pas moyen de blaguer.

70 Mais comment me tirer d'affaire ? Si elle quittait la maison, on se douterait de quelque chose et on jaserait[3]. Si je la gardais, on verrait bientôt l'bouquet ; et puis, je ne pouvais la lâcher comme ça.

J'en parlai à mon oncle, le baron de Creteuil, un vieux lapin qui en a connu plus d'une, et je lui demandai un avis. Il me 75 répondit tranquillement :

« Il faut la marier, mon garçon. »

Je fis un bond.

« La marier, mon oncle, mais avec qui ? »

Il haussa doucement les épaules :

80 « Avec qui tu voudras, c'est ton affaire et non la mienne. Quand on n'est pas bête on trouve toujours. »

Je réfléchis bien huit jours à cette parole, et je finis par me dire à moi-même : « Il a raison, mon oncle. »

Alors, je commençai à me creuser la tête et à chercher ; quand 85 un soir le juge de paix, avec qui je venais de dîner, me dit :

« Le fils de la mère Paumelle vient encore de faire une bêtise ; il finira mal, ce garçon-là. Il est bien vrai que bon chien chasse de race[4]. »

---

1. **Grosse** : enceinte.
2. **Parer le coup** : trouver une solution, faire face à la situation.
3. **Jaserait** : médirait, ferait courir des rumeurs.
4. **Bon chien chasse de race** : proverbe signifiant que les enfants héritent généralement des qualités et des défauts de leurs parents.

Cette mère Paumelle était une vieille rusée dont la jeunesse
90   avait laissé à désirer[1]. Pour un écu, elle aurait vendu certainement son âme, et son garnement[2] de fils par-dessus le marché[3].

J'allai la trouver, et tout doucement, je lui fis comprendre la
chose.

Comme je m'embarrassais dans mes explications, elle me
95   demanda tout à coup :

« Qué qu'vous lui donnerez, à c'te p'tite ? »

Elle était maligne, la vieille, mais moi, pas bête, j'avais préparé
mon affaire.

Je possédais justement trois lopins de terre[4] perdus auprès
100   de Sasseville, qui dépendaient de mes trois fermes de Villebon.
Les fermiers se plaignaient toujours que c'était loin ; bref, j'avais
repris ces trois champs, six acres[5] en tout, et, comme mes paysans criaient, je leur avais remis, pour jusqu'à la fin de chaque
bail[6], toutes leurs redevances[7] en volailles. De cette façon, la
105   chose passa. Alors, ayant acheté un bout de côte à mon voisin
M. d'Aumonté, je faisais construire une masure[8] dessus, le tout
pour quinze cents francs[9]. De la sorte, je venais de constituer un
petit bien qui ne me coûtait pas grand-chose, et je le donnais
en dot[10] à la fillette.

110   La vieille se récria[11] : ce n'était pas assez ; mais je tins bon, et
nous nous quittâmes sans rien conclure.

---

1. **Avait laissé à désirer :** n'avait pas été exemplaire.
2. **Garnement :** enfant turbulent.
3. **Par-dessus le marché :** en plus de cela.
4. **Lopins de terre :** terrains de petite taille.
5. **Acres :** mesure de surface agraire.
6. **Bail :** contrat de location.
7. **Redevances :** sommes dues (ici, les sommes que M. de Varnetot donne à ses fermiers en guise de salaire pour exploiter ses terres).
8. **Masure :** maison misérable.
9. **Quinze cents francs :** somme dérisoire en ancienne monnaie de l'époque, le franc.
10. **Dot :** biens qu'une femme apportait à son époux et à sa famille en se mariant.
11. **Se récria :** s'indigna fortement.

Le lendemain, dès l'aube, le gars vint me trouver. Je ne me rappelais guère sa figure. Quand je le vis, je me rassurai ; il n'était pas mal pour un paysan ; mais il avait l'air d'un rude coquin.

115 Il prit la chose de loin[1], comme s'il venait acheter une vache. Quand nous fûmes d'accord, il voulut voir le bien ; et nous voilà partis à travers champs. Le gredin me fit bien rester trois heures sur les terres ; il les arpentait[2], les mesurait, en prenait des mottes qu'il écrasait dans ses mains, comme s'il avait peur d'être trompé

120 sur la marchandise. La masure n'étant pas encore couverte, il exigea de l'ardoise au lieu de chaume[3] parce que cela demande moins d'entretien !

Puis il me dit :

« Mais l'mobilier, c'est vous qui le donnez ? »

125 Je protestai :

« Non pas ; c'est déjà beau de vous donner une ferme. »

Il ricana :

« J'crai ben[4], une ferme et un éfant. »

Je rougis malgré moi. Il reprit :

130 « Allons, vous donnerez l'lit, une table, l'ormoire, trois chaises et pi la vaisselle, ou ben rien d'fait. »

J'y consentis[5].

Et nous voilà en route pour revenir. Il n'avait pas encore dit un mot de la fille. Mais tout à coup, il demanda d'un air sournois

135 et gêné :

« Mais, si a mourait, à qui qu'il irait, çu bien ? »

Je répondis :

« Mais à vous, naturellement. »

---

1. De loin : avec légèreté.
2. Arpentait : parcourait de long en large.
3. L'ardoise est un matériau plus solide et de plus grande valeur que le chaume pour recouvrir un toit.
4. J'crai ben : je crois bien (patois).
5. J'y consentis : j'acceptais.

C'était tout ce qu'il voulait savoir depuis le matin. Aussitôt, il me
140 tendit la main d'un mouvement satisfait. Nous étions d'accord.

Oh! par exemple, j'eus du mal pour décider Rose. Elle se
traînait à mes pieds, elle sanglotait, elle répétait:

«C'est vous qui me proposez ça! c'est vous! c'est vous!»

Pendant plus d'une semaine, elle résista malgré mes raisonne-
145 ments et mes prières. C'est bête, les femmes; une fois qu'elles
ont l'amour en tête, elles ne comprennent plus rien. Il n'y a pas
de sagesse qui tienne, l'amour avant tout, tout pour l'amour!

À la fin je me fâchai et la menaçai de la jeter dehors. Alors elle
céda peu à peu, à condition que je lui permettrais de venir me
150 voir de temps en temps.

Je la conduisis moi-même à l'autel[1], je payai la cérémonie,
j'offris à dîner à toute la noce[2]. Je fis grandement les choses,
enfin. Puis: «Bonsoir mes enfants!» J'allai passer six mois chez
mon frère en Touraine.

155 Quand je fus de retour, j'appris qu'elle était venue chaque
semaine au château me demander. Et j'étais à peine arrivé depuis
une heure que je la vis entrer avec un marmot[3] dans ses bras.
Vous me croirez si vous voulez, mais ça me fit quelque chose de
voir ce mioche[4]. Je crois même que je l'embrassai.

160 Quant à la mère, une ruine, un squelette, une ombre. Maigre,
vieillie. Bigre de bigre[5], ça ne lui allait pas, le mariage! Je lui
demandai machinalement[6]:

«Es-tu heureuse?»

Alors elle se mit à pleurer comme une source, avec des hoquets,
165 des sanglots, et elle criait:

---

1. Autel: table sur laquelle est célébrée la messe dans le culte catholique. Lors de la
cérémonie du mariage, la mariée est «menée à l'autel» par son père.
2. Noce: ici, invités présents au mariage.
3. Marmot: enfant (familier).
4. Mioche: enfant (familier).
5. Bigre de bigre: interjection familière.
6. Machinalement: de façon automatique, sans réfléchir.

«Je n'peux pas, je n'peux pas m'passer de vous maintenant. J'aime mieux mourir, je n'peux pas!»

Elle faisait un bruit du diable. Je la consolai comme je pus et je la reconduisis à la barrière.

170 J'appris en effet que son mari la battait; et que sa belle-mère lui rendait la vie dure, la vieille chouette.

Deux jours après elle revenait. Et elle me prit dans ses bras, elle se traîna par terre:

«Tuez-moi, mais je n'veux pas retourner là-bas.»

175 Tout à fait ce qu'aurait dit Mirza si elle avait parlé!

Ça commençait à m'embêter, toutes ces histoires; et je filai pour six mois encore. Quand je revins… Quand je revins, j'appris qu'elle était morte trois semaines auparavant, après être revenue au château tous les dimanches… toujours comme Mirza. L'enfant

180 aussi était mort huit jours après.

Quant au mari, le madré coquin[1], il héritait. Il a bien tourné depuis, paraît-il, il est maintenant conseiller municipal.

*

Puis, M. de Varnetot ajouta en riant:
«C'est égal, c'est moi qui ai fait sa fortune à celui-là!»

185 Et M. Séjour, le vétérinaire, conclut gravement en portant à sa bouche un verre d'eau-de-vie:
«Tout ce que vous voudrez, mais des femmes comme ça, il n'en faut pas.»

---

1. **Madré coquin**: homme rusé et fourbe (familier).

L'Inconnue
Auguste de Villiers de L'Isle-Adam

Dans son recueil *Contes cruels* (1883), Auguste Villiers de L'Isle-Adam (1838-1889) a rassemblé histoires réalistes et fantastiques, exerçant tour à tour son cynisme et sa fibre poétique. *L'Inconnue*, nouvelle qui s'ouvre sur le coup de foudre du jeune Félicien pour une jeune femme croisée à l'Opéra-Comique, interroge la nature profonde de l'amour, entre idéal et illusion.

> *À Mme la comtesse de Laclos.*
> *Le cygne se tait toute sa vie pour bien chanter une seule fois.*
> PROVERBE ANCIEN.

> *C'était l'enfant sacré qu'un beau vers fait pâlir.*
> ADRIEN JUVIGNY.

Ce soir-là, tout Paris resplendissait aux Italiens[1]. On donnait *La Norma*[2]. C'était la soirée d'adieu de Maria-Felicia Malibran[3].

La salle entière, aux derniers accents de la prière de Bellini, *Casta diva*, s'était levée et rappelait la cantatrice dans un tumulte
5   glorieux[4]. On jetait des fleurs, des bracelets, des couronnes.

---

1. **Italiens** : nom longtemps donné à l'actuel Opéra-Comique de Paris, situé près du boulevard des Italiens.
2. *La Norma* : opéra du compositeur italien Vincenzo Bellini (1801-1835).
3. **Maria-Felicia Malibran** : célèbre cantatrice d'origine espagnole (1808-1836).
4. **Dans un tumulte glorieux** : au milieu des applaudissements et des acclamations.

Un sentiment d'immortalité enveloppait l'auguste[1] artiste, presque mourante[2], et qui s'enfuyait en croyant chanter!

Au centre des fauteuils d'orchestre, un tout jeune homme, dont la physionomie[3] exprimait une âme résolue[4] et fière, – manifestait,
10 brisant ses gants à force d'applaudir, l'admiration passionnée qu'il subissait.

Personne, dans le monde parisien, ne connaissait ce spectateur. Il n'avait pas l'air provincial, mais étranger. – En ses vêtements un peu neufs, mais d'un lustre[5] éteint et d'une coupe irréprochable,
15 assis dans ce fauteuil d'orchestre, il eût paru presque singulier[6], sans les instinctives et mystérieuses élégances qui ressortaient de toute sa personne. En l'examinant, on eût cherché autour de lui de l'espace, du ciel et de la solitude. C'était extraordinaire: mais Paris, n'est-ce pas la ville de l'Extraordinaire?
20 Qui était-ce et d'où venait-il?

C'était un adolescent sauvage, un orphelin seigneurial, – l'un des derniers de ce siècle –, un mélancolique châtelain[7] du Nord échappé, depuis trois jours, de la nuit d'un manoir des Cornouailles[8].
25 Il s'appelait le comte Félicien de La Vierge; il possédait le château de Blanchelande, en Basse-Bretagne. Une soif d'existence brûlante, une curiosité de notre merveilleux enfer, avait pris et enfiévré[9], tout à coup, ce chasseur, là-bas!… Il s'était mis en voyage: et il était là, tout simplement. Sa présence à Paris ne
30 datait que du matin, de sorte que ses grands yeux étaient encore splendides.

---

1. **Auguste**: majestueuse.
2. À la fin de l'opéra, le personnage de la Norma est condamné à mourir sur le bûcher.
3. **Physionomie**: ensemble des traits du visage exprimant la personnalité, l'humeur.
4. **Résolue**: déterminée.
5. **Lustre**: éclat.
6. **Singulier**: étrange.
7. **Châtelain**: seigneur possédant un château.
8. **Cornouailles**: ancienne division politique et religieuse de la Bretagne.
9. **Enfiévré**: enflammé.

C'était son premier soir de jeunesse ! Il avait vingt ans. C'était son entrée dans un monde de flamme, d'oubli, de banalités, d'or et de plaisirs. Et, *par hasard*, il était arrivé à l'heure pour
35 entendre l'adieu de celle qui partait.

Peu d'instants lui avaient suffi pour s'accoutumer[1] au resplendissement de la salle. Mais, aux premières notes de la Malibran, son âme avait tressailli[2] ; la salle avait disparu. L'habitude du silence des bois, du vent rauque des écueils[3], du bruit de l'eau
40 sur les pierres des torrents et des graves[4] tombées du crépuscule, avait élevé en poète ce fier jeune homme, et, dans le timbre[5] de la voix qu'il entendait, il lui semblait que l'âme de ces choses lui envoyait la prière lointaine de revenir.

Au moment où, transporté d'enthousiasme, il applaudissait
45 l'artiste inspirée, ses mains demeurèrent en suspens ; il resta immobile.

Au balcon d'une loge venait d'apparaître une jeune femme d'une grande beauté. – Elle regardait la scène. Les lignes fines et nobles de son profil perdu s'ombraient des rouges ténèbres
50 de la loge, tel un camée de Florence en son médaillon[6]. – Pâlie, un gardénia[7] dans ses cheveux bruns, et toute seule, elle appuyait au bord du balcon sa main, dont la forme décelait[8] une lignée illustre. Au joint du corsage de sa robe de moire[9] noire, voilée de dentelles, une pierre malade, une admirable opale[10], à l'image
55 de son âme, sans doute, luisait dans un cercle d'or. L'air solitaire,

---

1. S'accoutumer : s'habituer.
2. Tressailli : sursauté sous le coup de l'émotion.
3. Écueils : rochers à fleur d'eau.
4. Graves : mélanges de sable et de gravillons.
5. Timbre : son.
6. Camée de Florence en son médaillon : pendentif sculpté dans le sardonyx (pierre rouge brun) représentant un visage de profil, dont la ville de Florence, en Italie, était au XIXᵉ siècle une importante productrice.
7. Gardénia : arbuste à fleurs blanches.
8. Décelait : dévoilait.
9. Moire : étoffe à reflets changeants.
10. Opale : pierre précieuse.

indifférent à toute la salle, elle paraissait s'oublier elle-même sous l'invincible[1] charme de cette musique.

Le hasard voulut, cependant, qu'elle détournât, vaguement, les yeux vers la foule ; en cet instant, les yeux du jeune homme et les siens se rencontrèrent, le temps de briller et de s'éteindre, une seconde.

S'étaient-ils connus jamais ?… Non. Pas sur la terre. Mais que ceux-là qui peuvent dire où commence le Passé décident où ces deux êtres s'étaient, véritablement, déjà possédés[2], car ce seul regard leur avait persuadé, cette fois et pour toujours, qu'ils ne dataient pas de leur berceau. L'éclair illumine, d'un seul coup, les lames[3] et les écumes de la mer nocturne, et, à l'horizon, les lointaines lignes d'argent des flots : ainsi l'impression, dans le cœur de ce jeune homme, sous ce rapide regard, ne fut pas gra-duée[4] ; ce fut l'intime et magique éblouissement d'un monde qui se dévoile ! Il ferma les paupières comme pour y retenir les deux lueurs bleues qui s'y étaient perdues ; puis, il voulut résister à ce vertige oppresseur[5]. Il releva les yeux vers l'inconnue.

Pensive, elle appuyait encore son regard sur le sien, comme si elle eût compris la pensée de ce sauvage amant et comme si c'eût été chose naturelle ! Félicien se sentit pâlir ; l'impression lui vint, en ce coup d'œil, de deux bras qui se joignaient, languissants[6], autour de son cou. – C'en était fait ! le visage de cette femme venait de se réfléchir dans son esprit comme en un miroir familier, de s'y incarner, de s'y *reconnaître* ! de s'y fixer à tout jamais sous une magie de pensées presque divines ! Il aimait du premier et inoubliable amour.

---

1. **Invincible** : irrésistible.
2. **Possédés** : connus intimement.
3. **Lames** : vagues.
4. **Graduée** : progressive.
5. **Oppresseur** : étouffant.
6. **Languissants** : amoureux.

Cependant, la jeune femme, dépliant son éventail, dont les dentelles noires touchaient ses lèvres, semblait rentrée dans son inattention. Maintenant, on eût dit qu'elle écoutait exclusivement les mélodies de *La Norma*.

Au moment d'élever sa lorgnette[1] vers la loge, Félicien sentit que ce serait une inconvenance[2].

«Puisque je l'aime!» se dit-il.

Impatient de la fin de l'acte, il se recueillait[3]. – Comment lui parler? apprendre son nom? Il ne connaissait personne. – Consulter, demain, le registre[4] des Italiens? Et si c'était une loge de hasard, achetée à cause de cette soirée! L'heure pressait, la vision allait disparaître. Eh bien! sa voiture suivrait la sienne, voilà tout... Il lui semblait qu'il n'y avait pas d'autres moyens. Ensuite, il aviserait[5]! Puis il se dit, en sa naïveté... sublime: «Si elle *m'aime*, elle s'apercevra bien et me laissera quelque indice.»

La toile[6] tomba. Félicien quitta la salle très vite. Une fois sous le péristyle[7], il se promena, simplement, devant les statues.

Son valet de chambre s'étant approché, il lui chuchota quelques instructions; le valet se retira dans un angle et y demeura très attentif.

Le vaste bruit de l'ovation[8] faite à la cantatrice cessa peu à peu, comme tous les bruits de triomphe de ce monde. – On descendait le grand escalier. – Félicien, l'œil fixé au sommet, entre les deux vases de marbre, d'où ruisselait le fleuve éblouissant de la foule, attendit.

---

1. **Lorgnette**: petite lunette utilisée pour mieux voir les artistes ou les spectateurs.
2. **Inconvenance**: acte qui n'est pas conforme à la bienséance, aux bons usages.
3. **Se recueillait**: était plongé dans ses pensées.
4. **Registre**: livre où sont inscrits les noms des abonnés.
5. **Aviserait**: réfléchirait à ce qu'il devrait faire.
6. **Toile**: rideau de scène.
7. **Péristyle**: allée de colonnes qui entoure un bâtiment.
8. **Ovation**: acclamations bruyantes et enthousiastes en l'honneur de quelqu'un.

Ni les visages radieux, ni les parures, ni les fleurs au front des jeunes filles, ni les camails d'hermine[1], ni le flot éclatant qui s'écoulait devant lui, sous les lumières, il ne vit rien.

Et toute cette assemblée s'évanouit bientôt, peu à peu, sans que la jeune femme apparût.

L'avait-il donc laissée s'enfuir sans la reconnaître!... Non! c'était impossible. – Un vieux domestique, poudré[2], couvert de fourrures, se tenait encore dans le vestibule[3]. Sur les boutons de sa livrée[4] noire brillaient les feuilles d'ache d'une couronne ducale[5].

Tout à coup, au haut de l'escalier solitaire, *elle* parut! Seule! Svelte[6], sous un manteau de velours et les cheveux cachés par une mantille[7] de dentelle, elle appuyait sa main gantée sur la rampe de marbre. Elle aperçut Félicien debout auprès d'une statue, mais ne sembla pas se préoccuper davantage de sa présence.

Elle descendit paisiblement. Le domestique s'étant approché, elle prononça quelques paroles à voix basse. Le laquais[8] s'inclina et se retira sans plus attendre. L'instant d'après, on entendit le bruit d'une voiture qui s'éloignait. Alors elle sortit. Elle descendit, toujours seule, les marches extérieures du théâtre. Félicien prit à peine le temps de jeter ces mots à son valet de chambre:

« Rentrez seul à l'hôtel. »

En un moment, il se trouva sur la place des Italiens, à quelques pas de cette dame; la foule s'était dissipée, déjà, dans les rues environnantes; l'écho lointain des voitures s'affaiblissait.

Il faisait une nuit d'octobre, sèche, étoilée.

---

1. Camails d'hermine: courtes capes à capuchon faites en fourrure d'hermine (mammifère voisin de la belette).
2. Poudré: au visage maquillé.
3. Vestibule: pièce d'entrée d'un bâtiment.
4. Livrée: costume de domestique.
5. Le symbole des duchesses est une couronne de fleurons, ou feuilles d'ache.
6. Svelte: grande et mince.
7. Mantille: coiffe féminine constituée d'une écharpe de dentelle ou de soie noire.
8. Laquais: domestique.

L'inconnue marchait, très lente et comme peu habituée. – La suivre ? Il le fallait, il s'y décida. Le vent d'automne lui apportait
135 le parfum d'ambre[1] très faible qui venait d'elle, le traînant et sonore froissement de la moire sur l'asphalte[2].

Devant la rue Monsigny, elle s'orienta une seconde, puis marcha, comme indifférente, jusqu'à la rue de Grammont déserte et à peine éclairée.

140 Tout à coup le jeune homme s'arrêta ; une pensée lui traversa l'esprit. C'était une étrangère, peut-être !

Une voiture pouvait passer et l'emporter à tout jamais ! Demain, se heurter aux pierres d'une ville, toujours ! sans la retrouver !

Être séparé d'elle, sans cesse, par le hasard d'une rue, d'un
145 instant qui peut durer l'éternité ! Quel avenir ! Cette pensée le troubla jusqu'à lui faire oublier toute considération de bienséance[3].

Il dépassa la jeune femme à l'angle de la sombre rue ; alors il se retourna, devint horriblement pâle et, s'appuyant au pilier de fonte[4] du réverbère, il la salua ; puis, très simplement, pendant
150 qu'une sorte de magnétisme[5] charmant sortait de tout son être :

« Madame, dit-il, vous le savez ; je vous ai vue, ce soir, pour la première fois. Comme j'ai peur de ne plus vous revoir, il faut que je vous dise – (il défaillait[6]) – que *je vous aime* ! acheva-t-il à voix basse, et que, si vous passez, je mourrai sans redire ces mots
155 à personne. »

Elle s'arrêta, leva son voile et considéra Félicien avec une fixité attentive. Après un court silence :

« Monsieur, – répondit-elle d'une voix dont la pureté laissait transparaître les plus lointaines intentions de l'esprit, – monsieur,

---

1. Ambre : substance provenant des excrétions du cachalot dont on tire une huile essentielle musquée utilisée en parfumerie.
2. Asphalte : revêtement des chaussées.
3. Bienséance : respect des convenances, bons usages.
4. Fonte : matière métallique.
5. Magnétisme : attraction puissante exercée par quelqu'un sur les autres.
6. Défaillait : était au bord de l'évanouissement.

160 le sentiment qui vous donne cette pâleur et ce maintien[1] doit être, en effet, bien profond, pour que vous trouviez en lui la justification de ce que vous faites. Je ne me sens donc nullement offensée[2]. Remettez-vous, et tenez-moi pour une amie. »

Félicien ne fut pas étonné de cette réponse : il lui semblait
165 naturel que l'idéal répondît idéalement.

La circonstance était de celles, en effet, où tous deux avaient à se rappeler, s'ils en étaient dignes, qu'ils étaient de la race de ceux qui font les convenances et non de la race de ceux qui les subissent. Ce que le public des humains appelle, à tout hasard,
170 les convenances n'est qu'une imitation mécanique, servile et presque simiesque[3] de ce qui a été vaguement pratiqué par des êtres de haute nature en des circonstances générales.

Avec un transport[4] de tendresse naïve, il baisa la main qu'on lui offrait.

175 « Voulez-vous me donner la fleur que vous avez portée dans vos cheveux toute la soirée ? »

L'inconnue ôta, silencieusement, la pâle fleur, sous les dentelles, et, l'offrant à Félicien :

« Adieu maintenant, dit-elle, et à jamais.
180 – Adieu !… balbutia-t-il. – Vous ne *m'aimez* donc pas ! – Ah ! vous êtes mariée ! s'écria-t-il tout à coup.

– Non.

– Libre ! Ô ciel !

– Oubliez-moi, cependant ! Il le faut, monsieur.
185 – Mais vous êtes devenue, en un instant, le battement de mon cœur ! Est-ce que je puis vivre sans vous ? Le seul air que je veuille respirer, c'est le vôtre ! Ce que vous dites, je ne le comprends plus : vous oublier… comment cela ?

---

1. Maintien : attitude, manière de se tenir.
2. Offensée : atteinte dans mon honneur.
3. Servile et presque simiesque : à laquelle on se soumet de façon aveugle, en imitant sans comprendre, comme les singes.
4. Transport : élan.

– Un terrible malheur m'a frappée. Vous en faire l'aveu serait
190 vous attrister jusqu'à la mort, c'est inutile.

– Quel malheur peut séparer ceux qui s'aiment !

– Celui-là. »

En prononçant cette parole, elle ferma les yeux.

La rue s'allongeait, absolument déserte. Un portail donnant
195 sur un petit enclos[1], une sorte de triste jardin, était grand ouvert
auprès d'eux. Il semblait leur offrir son ombre.

Félicien, comme un enfant irrésistible, qui adore, l'emmena
sous cette voûte de ténèbres en enveloppant la taille qu'on lui
abandonnait.

200 L'enivrante[2] sensation de la soie tendue et tiède qui se moulait
autour d'elle lui communiqua le désir fiévreux de l'étreindre[3], de
l'emporter, de se perdre en son baiser. Il résista. Mais le vertige
lui ôtait la faculté[4] de parler. Il ne trouva que ces mots balbutiés
et indistincts[5] :

205 « Mon Dieu, mais, comme je vous aime ! »

Alors cette femme inclina la tête sur la poitrine de celui qui
l'aimait et, d'une voix amère et désespérée :

« Je ne vous entends pas ! je meurs de honte ! Je ne vous entends
pas ! Je n'entendrais pas votre nom ! Je n'entendrais pas votre
210 dernier soupir ! Je n'entends pas les battements de votre cœur
qui frappent mon front et mes paupières ! Ne voyez-vous pas
l'affreuse souffrance qui me tue ! – Je suis… ah ! je suis SOURDE !

– Sourde, s'écria Félicien, foudroyé par une froide stupeur et
frémissant de la tête aux pieds.

215 – Oui ! depuis des années ! Oh ! toute la science humaine serait
impuissante à me ressusciter de cet horrible silence. Je suis sourde

---

1. Enclos : terrain fermé par une clôture.
2. Enivrante : qui provoque l'exaltation des sens et des sentiments.
3. L'étreindre : la serrer dans ses bras.
4. Faculté : capacité.
5. Balbutiés et indistincts : prononcés avec hésitation et incompréhensibles.

comme le ciel et comme la tombe, monsieur! C'est à maudire
le jour, mais c'est la vérité. Ainsi, laissez-moi!

220   – Sourde, répétait Félicien, qui, sous cette inimaginable révélation, était demeuré sans pensée, bouleversé et hors d'état même
de réfléchir à ce qu'il disait. Sourde?... »

Puis, tout à coup:

« Mais, ce soir, aux Italiens, s'écria-t-il, vous applaudissiez, cependant, cette musique! »

225   Il s'arrêta, songeant qu'elle ne devait pas l'entendre. La chose
devenait brusquement si épouvantable qu'elle provoquait le sourire.

« Aux Italiens?... répondit-elle, en souriant elle-même. Vous
oubliez que j'ai eu le loisir d'étudier le semblant[1] de bien des
émotions. Suis-je donc la seule? Nous appartenons au rang que le

230   destin nous donne et il est de notre devoir de le tenir. Cette noble
femme qui chantait méritait bien quelques marques suprêmes
de sympathie? Pensez-vous, d'ailleurs, que mes applaudissements
différaient beaucoup de ceux des *dilettanti*[2] les plus enthousiastes?
J'étais musicienne, autrefois!... »

235   À ces mots, Félicien la regarda, un peu égaré[3], et s'efforçant
de sourire encore:

« Oh! dit-il, est-ce que vous vous jouez d'un cœur qui vous
aime à la désolation[4]? Vous vous accusez de ne pas entendre et
vous me répondez!...

240   – Hélas, dit-elle, c'est que... ce que vous dites, vous le croyez
personnel, mon ami! Vous êtes sincère; mais vos paroles ne sont
nouvelles que pour vous. – Pour moi, vous récitez un dialogue
dont j'ai appris, d'avance, toutes les réponses. Depuis des années,
il est pour moi toujours le même. C'est un rôle dont toutes les

245   phrases sont dictées et nécessitées avec une précision vraiment

---

1. Semblant: apparence trompeuse.
2. *Dilettanti*: terme italien désignant les amateurs de musique.
3. Égaré: avec un air perdu.
4. À la désolation: jusqu'au désespoir.

affreuse. Je le possède à un tel point que si j'acceptais, – ce qui serait un crime, – d'unir ma détresse, ne fût-ce que quelques jours, à votre destinée, vous oublieriez, à chaque instant, la confidence funeste[1] que je vous ai faite. L'illusion, je vous la donnerais, com-
250 plète, exacte, *ni plus ni moins qu'une autre femme,* je vous assure ! Je serais même, incomparablement, plus réelle que la réalité. Songez que les circonstances dictent toujours les mêmes paroles et que le visage s'harmonise toujours un peu avec elles ! Vous ne pourriez croire que je ne vous entends pas, tant je devinerais
255 juste. – N'y pensons plus, voulez-vous ? »

Il se sentit effrayé, cette fois.

« Ah ! dit-il, quelles amères[2] paroles vous avez le droit de pro-noncer !... Mais, moi, s'il en est ainsi, je veux partager avec vous, fût-ce l'éternel silence, s'il le faut. Pourquoi voulez-vous m'exclure
260 de cette infortune[3] ? J'eusse partagé votre bonheur ! Et notre âme peut suppléer à[4] tout ce qui existe. »

La jeune femme tressaillit, et ce fut avec des yeux pleins de lumière qu'elle le regarda.

« Voulez-vous marcher un peu, en me donnant le bras, dans
265 cette rue sombre ? dit-elle. Nous nous figurerons que c'est une promenade pleine d'arbres, de printemps et de soleil ! – J'ai quelque chose à vous dire, moi aussi, que je ne redirai plus. »

Les deux amants, le cœur dans l'étau[5] d'une tristesse fatale[6], marchèrent, la main dans la main, comme des exilés.

270 « Écoutez-moi, dit-elle, vous qui pouvez entendre le son de ma voix. Pourquoi donc ai-je senti que vous ne m'offensiez pas ? Et pourquoi vous ai-je répondu ? Le savez-vous ?... Certes, il est tout simple que j'aie acquis la science de lire, sur les traits d'un

---

1. **Funeste** : profondément triste.
2. **Amères** : pleines de tristesse et de déception.
3. **Infortune** : situation malheureuse.
4. **Suppléer à** : remplacer.
5. **Étau** : outil en forme de mâchoires permettant d'enserrer un objet.
6. **Fatale** : qui ne peut trouver d'issue.

visage et dans les attitudes, les sentiments qui déterminent les
275 actes d'un homme, mais, ce qui est tout différent, c'est que je
pressente[1], avec une exactitude aussi profonde et, pour ainsi
dire, presque infinie, la valeur et la qualité de ces sentiments ainsi
que leur intime harmonie en celui qui me parle. Quand vous
avez pris sur vous de commettre, envers moi, cette épouvantable
280 inconvenance de tout à l'heure, j'étais la seule femme, peut-être,
qui pouvait en saisir, à l'instant même, la véritable signification.

Je vous ai répondu, parce qu'il m'a semblé voir luire[2] sur votre
front ce signe inconnu qui annonce ceux dont la pensée, loin
d'être obscurcie, dominée et bâillonnée par leurs passions, grandit
285 et divinise toutes les émotions de la vie et dégage l'idéal contenu
dans toutes les sensations qu'ils éprouvent. Ami, laissez-moi vous
apprendre mon secret. La fatalité, d'abord si douloureuse, qui a
frappé mon être matériel, est devenue pour moi l'affranchissement de bien des servitudes[3] ! Elle m'a délivrée de cette surdité
290 intellectuelle dont la plupart des autres femmes sont les victimes.

Elle a rendu mon âme sensible aux vibrations des choses éter-
nelles dont les êtres de mon sexe ne connaissent, à l'ordinaire,
que la parodie[4]. Leurs oreilles sont murées[5] à ces merveilleux
échos, à ces prolongements sublimes[6] ! De sorte qu'elles ne doivent
295 à l'acuité[7] de leur ouïe que la faculté de percevoir ce qu'il y a,
seulement, d'instinctif et d'extérieur dans les voluptés[8] les plus
délicates et les plus pures. Ce sont les Hespérides[9], gardiennes
de ces fruits enchantés dont elles ignorent à jamais la magique

---

1. Pressente : devine.

2. Luire : briller.

3. Affranchissement de bien des servitudes : moyen de me libérer de nombreuses contraintes.

4. Parodie : imitation de mauvaise qualité.

5. Murées : bouchées.

6. Sublimes : intellectuellement et moralement très élevés.

7. Acuité : précision.

8. Voluptés : sources de plaisir.

9. Hespérides : nymphes de la mythologie grecque résidant dans un jardin fabuleux, appelé jardin des Hespérides, et qui devaient veiller sur des pommes d'or.

valeur! Hélas, je suis sourde… mais elles! Qu'entendent-elles!…
300 Ou, plutôt, qu'écoutent-elles dans les propos qu'on leur adresse,
sinon le bruit confus, en harmonie avec le jeu de physionomie de celui qui leur parle! De sorte qu'inattentives non pas
au sens apparent, mais à la *qualité*, révélatrice et profonde, au
véritable sens enfin, de chaque parole, elles se contentent d'y
305 distinguer une intention de flatterie, qui leur suffit amplement.
C'est ce qu'elles appellent le "positif de la vie" avec un de ces
sourires… Oh! vous verrez, si vous vivez! Vous verrez quels mystérieux océans de candeur[1], de suffisance[2] et de basse frivolité[3]
cache, uniquement, ce délicieux sourire! – L'abîme[4] d'amour
310 charmant, divin, obscur, véritablement étoilé, comme la Nuit,
qu'éprouvent les êtres de votre nature, essayez de le traduire
à l'une d'entre elles!… Si vos expressions filtrent jusqu'à son
cerveau, elles s'y déformeront, comme une source pure qui
traverse un marécage. De sorte qu'en réalité cette femme *ne les*
315 *aura pas entendues.* "La Vie est impuissante à combler ces rêves,
disent-elles, et vous lui demandez trop!" Ah! comme si la Vie
n'était pas faite par les vivants!

– Mon Dieu! murmura Félicien.

– Oui, poursuivit l'inconnue, une femme n'échappe pas à cette
320 condition de la nature, la surdité mentale, à moins, peut-être,
de payer sa rançon[5] d'un prix inestimable[6], comme moi. Vous
prêtez[7] aux femmes un secret, parce qu'elles ne s'expriment que
par des actes. Fières, orgueilleuses de ce secret, qu'elles ignorent
elles-mêmes, elles aiment à laisser croire qu'on peut les deviner. Et
325 tout homme, flatté de se croire le divinateur attendu, malverse de[8]

---

1. **Candeur**: naïveté, pureté.
2. **Suffisance**: sentiment de supériorité à l'égard des autres.
3. **Frivolité**: légèreté, futilité.
4. **Abîme**: profondeur.
5. **Rançon**: prix à payer en échange de quelque chose.
6. **Inestimable**: dont on ne peut estimer la valeur, donc très élevé.
7. **Prêtez**: attribuez.
8. **Malverse de**: utilise de mauvaise façon.

sa vie pour épouser un sphinx[1] de pierre. Et nul d'entre eux ne peut s'élever *d'avance* jusqu'à cette réflexion qu'un secret, si terrible qu'il soit, s'il n'est *jamais* exprimé, est identique au néant[2]. »

L'inconnue s'arrêta.

330   « Je suis amère, ce soir, continua-t-elle, – voici pourquoi : je n'enviais plus ce qu'elles possèdent, ayant constaté l'usage qu'elles en font – et que j'en eusse fait moi-même, sans doute ! Mais vous voici, vous voici, vous, qu'autrefois j'aurais tant aimé !… je vous vois !… je vous devine !… je reconnais votre âme dans vos yeux…
335   vous me l'offrez, *et je ne puis vous la prendre* !… »

La jeune femme cacha son front dans ses mains.

« Oh ! répondit tout bas Félicien, les yeux en pleurs, – je puis du moins baiser la tienne dans le souffle de tes lèvres ! – Comprends-moi ! Laisse-toi vivre ! tu es si belle !… Le silence de notre amour
340   le fera plus ineffable[3] et plus sublime, ma passion grandira de toute ta douleur, de toute notre mélancolie[4] !… Chère femme épousée à jamais, viens vivre ensemble ! »

Elle le contemplait de ses yeux aussi baignés de larmes et, posant la main sur le bras qui l'enlaçait :

345   « Vous allez déclarer vous-même que c'est impossible ! dit-elle. Écoutez encore ! je veux achever, en ce moment, de vous révéler toute ma pensée… car vous ne m'entendrez plus… et je ne veux pas être oubliée. »

Elle parlait lentement et marchait, la tête inclinée sur l'épaule
350   du jeune homme.

« Vivre ensemble !… dites-vous… Vous oubliez qu'après les premières exaltations[5], la vie prend des caractères d'intimité[6] où le besoin de s'exprimer exactement devient inévitable. C'est un

---

1. Sphinx : ici, personne impassible (le sphinx est une créature de la mythologie grecque qui épargnait la vie de ses victimes à condition qu'elles répondent à ses énigmes).

2. Néant : vide total.

3. Ineffable : qu'on ne peut exprimer par des mots.

4. Mélancolie : sentiment de profonde tristesse.

5. Exaltations : sentiments excessifs.

6. Intimité : familiarité qui unit ceux qui sont liés par l'amitié ou l'amour.

instant sacré! Et c'est l'instant cruel où ceux qui se sont épousés
355   inattentifs à leurs paroles reçoivent le châtiment[1] irréparable du
peu de valeur qu'ils ont accordée à la *qualité* du sens réel, UNIQUE,
enfin, que ces paroles recevaient de ceux qui les énonçaient.
"Plus d'illusions!" se disent-ils, croyant, ainsi, masquer, sous un
sourire trivial[2], le douloureux mépris qu'ils éprouvent, en réalité,
360   pour leur sorte d'amour, – et le désespoir qu'ils ressentent de se
l'avouer à eux-mêmes.

   «Car ils ne veulent pas s'apercevoir qu'ils n'ont possédé que
ce qu'ils désiraient! Il leur est impossible de croire que, – hors
la Pensée, qui transfigure[3] toutes choses, – toute chose n'est
365   qu'ILLUSION ici-bas. Et que toute passion, acceptée et conçue dans
la seule sensualité[4], devient bientôt plus amère que la mort pour
ceux qui s'y sont abandonnés. – Regardez au visage les passants,
et vous verrez si je m'abuse[5]. – Mais nous, demain! Quand cet
instant serait venu!… J'aurais votre regard, mais je n'aurais pas
370   votre voix! J'aurais votre sourire… mais non vos paroles! Et je
sens que vous ne devez point parler comme les autres!…

   «Votre âme primitive[6] et simple doit s'exprimer avec une viva-
cité presque définitive[7], n'est-ce pas? Toutes les nuances de votre
sentiment ne peuvent donc être trahies que dans la musique
375   même de vos paroles! Je sentirais bien que vous êtes tout rempli
de mon image, mais la forme que vous donnez à mon être dans
vos pensées, la façon dont je suis conçue par vous, et qu'on ne
peut manifester que par quelques mots trouvés chaque jour,
– cette forme sans lignes précises et qui, à l'aide de ces mêmes
380   mots divins, reste indécise et tend à se projeter dans la Lumière
pour s'y fondre et passer dans cet infini que nous portons en

---

1. Châtiment: punition (généralement d'ordre divin).
2. Trivial: commun, banal.
3. Transfigure: transforme.
4. Sensualité: aptitude à goûter les plaisirs des sens.
5. M'abuse: me trompe.
6. Primitive: ici, naïve.
7. Définitive: catégorique, sans négociation possible.

notre cœur, – cette seule réalité, enfin, je ne la connaîtrai jamais !
Non !… Cette musique ineffable, cachée dans la voix d'un amant,
ce murmure aux inflexions inouïes[1], qui enveloppe et fait pâlir,
385 je serais condamnée à ne pas l'entendre !… Ah ! celui qui écrivit
sur la première page d'une symphonie[2] sublime : "C'est ainsi que
le Destin frappe à la porte !" avait connu la voix des instruments
avant de subir la même affliction que moi[3] !

« Il se souvenait, en écrivant ! Mais moi, comment me souvenir
390 de la voix avec laquelle vous venez de me dire pour la première
fois : "Je vous aime !…" »

En écoutant ces paroles, le jeune homme était devenu sombre :
ce qu'il éprouvait, c'était de la terreur.

« Oh ! s'écria-t-il. Mais vous entrouvrez dans mon cœur des
395 gouffres de malheur et de colère ! J'ai le pied sur le seuil[4] du
paradis et il faut que je referme, sur moi-même, la porte de
toutes les joies ! Êtes-vous la tentatrice suprême – enfin !… Il me
semble que je vois luire, dans vos yeux, je ne sais quel orgueil de
m'avoir désespéré.

400 – Va ! je suis celle qui ne t'oubliera pas ! répondit-elle. – Comment oublier les mots pressentis qu'on n'a pas entendus ?

– Madame, hélas ! vous tuez à plaisir toute la jeune espérance
que j'ensevelis[5] en vous !… Cependant, si tu es présente où je
vivrai, l'avenir, nous le vaincrons ensemble ! Aimons-nous avec
405 plus de courage ! Laisse-toi venir ! »

Par un mouvement inattendu et féminin, elle noua ses lèvres aux
siennes, dans l'ombre, doucement, pendant quelques secondes.
Puis elle lui dit avec une sorte de lassitude[6] :

---

1. Inflexions inouïes : variations d'intonation extraordinaires (jeu sur le sens étymologique d'*inouï*, qui signifie « n'est pas entendu »).
2. Symphonie : composition musicale destinée à être jouée par un orchestre.
3. Ouverture de la *Cinquième Symphonie* de Ludwig van Beethoven (1770-1827), compositeur allemand devenu sourd à 26 ans.
4. Sur le seuil : à l'entrée.
5. J'ensevelis : j'enterre.
6. Lassitude : grande fatigue morale.

«Ami, je vous dis que c'est impossible. Il est des heures de
mélancolie où, irrité de mon infirmité[1], vous chercheriez des
occasions de la constater plus vivement encore! Vous ne pourriez
oublier que je ne vous entends pas!... ni me le pardonner, je
vous assure! Vous seriez, fatalement, entraîné, par exemple, *à ne
plus me parler*, à ne plus articuler de syllabes auprès de moi! Vos
lèvres, seules, me diraient: "Je vous aime", sans que la vibration
de votre voix troublât le silence. Vous en viendriez à m'écrire,
ce qui serait pénible, enfin! Non, c'est impossible! Je ne profanerai[2] pas ma vie pour la moitié de l'Amour. Bien que vierge, je
suis veuve d'un rêve et veux rester inassouvie[3]. Je vous le dis, je
ne puis vous prendre votre âme en échange de la mienne. Vous
étiez, cependant, celui destiné à retenir mon être!... Et c'est
à cause de cela même que mon devoir est de vous ravir mon
corps[4]. Je l'emporte! C'est ma prison! Puissé-je en être bientôt
délivrée! – Je ne veux pas savoir votre nom… *Je ne veux pas le
lire!*... Adieu! – Adieu!...»

Une voiture étincelait à quelques pas, au détour de la rue de
Grammont. Félicien reconnut vaguement le laquais du péristyle
des Italiens lorsque, sur un signe de la jeune femme, un domestique abaissa le marchepied du coupé[5].

Celle-ci quitta le bras de Félicien, se dégagea comme un oiseau,
entra dans la voiture. L'instant d'après, tout avait disparu.

M. le comte de La Vierge repartit, le lendemain, pour son
solitaire château de Blanchelande, – et l'on n'a plus entendu
parler de lui.

Certes, il pouvait se vanter d'avoir rencontré, du premier coup,
une femme sincère, – ayant, enfin, *le courage de ses opinions*.

---

1. Infirmité: handicap (ici la surdité de la jeune femme).
2. Profanerai: gâcherai.
3. Inassouvie: insatisfaite.
4. Vous ravir mon corps: vous empêcher d'avoir mon corps.
5. Marchepied du coupé: marche amovible qui permet de monter dans une calèche.

Arrêt
sur lecture 2

Un quiz pour commencer

Cochez les bonnes réponses.

1 *Qui est Jacques dans la nouvelle* Un mariage d'amour *?*
- ❏ Le meilleur ami de Suzanne.
- ❏ Le mari de Suzanne.
- ❏ L'amant de Suzanne.

2 *Comment Suzanne et Jacques se débarrassent-ils de Michel ?*
- ❏ Ils versent du poison dans son verre.
- ❏ Ils simulent une noyade accidentelle.
- ❏ Ils le poussent du haut d'une falaise.

3 *Comment Suzanne et Jacques finissent-ils leur vie ?*
- ❏ Ils se marient et vivent heureux jusqu'à la fin de leurs jours.
- ❏ Ils sont jugés pour leur crime et condamnés.
- ❏ Ils se suicident, rongés par la culpabilité.

4 *Dans* Histoire vraie, *qui conte les aventures de Rose et de son maître ?*

 ❑ M. Séjour.

 ❑ M. de Varnetot.

 ❑ Maître Blondel.

5 *Comment le narrateur parvient-il à prendre Rose pour domestique ?*

 ❑ Il lui offre un salaire très élevé.

 ❑ Il la demande à son maître en échange d'une jument.

 ❑ Il convainc sa mère de la laisser travailler pour lui.

6 *Qui Rose épouse-t-elle avant de donner naissance à son enfant ?*

 ❑ M. de Varnetot.

 ❑ L'oncle du narrateur.

 ❑ Le fils de la mère Paumelle.

7 *Dans* L'Inconnue, *de qui Félicien tombe-t-il éperdument amoureux ?*

 ❑ De la cantatrice Maria-Felicia Malibran.

 ❑ De la châtelaine de Blanchelande.

 ❑ D'une inconnue rencontrée à l'Opéra-Comique.

8 *Pourquoi cette femme refuse-t-elle l'amour de Félicien ?*

 ❑ Parce qu'elle est mariée et veut rester fidèle à son époux.

 ❑ Parce qu'elle est sourde et refuse l'illusion de l'amour ordinaire.

 ❑ Parce qu'elle vient d'un pays étranger et doit quitter la France.

Des questions pour aller plus loin

→ *Étudier la représentation des relations amoureuses*

Différentes visions de l'amour

1 Par qui la narration est-elle prise en charge dans ces trois nouvelles ? Précisez pour chacune le type de point de vue narratif employé (interne, externe ou omniscient).

2 Dans *Un mariage d'amour* et *Histoire vraie*, pour quels personnages l'amour est-il impossible ? Justifiez votre réponse.

3 Dans *Histoire vraie*, à quoi le narrateur compare-t-il Rose ? Retrouve-t-on cette vision de la femme dans *L'Inconnue* ?

4 Pourquoi la jeune femme de *L'Inconnue* parvient-elle à répondre parfaitement aux répliques de Félicien alors qu'elle est atteinte de surdité ? Que cherche à suggérer l'auteur sur les échanges amoureux en général ?

5 Relisez les lignes 240 à 255 de *L'Inconnue*. Comment la jeune femme considère-t-elle les mots d'amour de Félicien ? Dans l'expression « L'illusion, je vous la donnerais » (l. 249), de quelle illusion parle-t-elle ?

La critique du mariage

6 Que représente le mariage pour chaque personnage de ces nouvelles ?

7 Dans *Un mariage d'amour*, comment les sentiments de Suzanne et de Jacques évoluent-ils après leur mariage ? Pour répondre, complétez le tableau suivant. Que remarquez-vous ? Comment pouvez-vous expliquer cette évolution ?

Sentiments avant le mariage	Sentiments après le mariage

8 Dans *Histoire vraie*, quels enjeux sociaux, financiers et familiaux dissuadent le narrateur d'épouser Rose ?

9 Observez la description de Rose dans les lignes 160 à 161 : quelles conséquences physiques le mariage a-t-il sur elle ? quelles en sont les causes ?

10 Dans quelle mesure peut-on dire que ces trois nouvelles ont une issue tragique ? Quelle vision donnent-elles du mariage ?

Zoom sur *Un mariage d'amour* (p. 58-65)

11 Résumez en quelques lignes l'intrigue de cette nouvelle. De quel genre romanesque pourrait-on la rapprocher ?

12 Dans les lignes 16 à 54, relevez ce qui prouve la lâcheté de Jacques et de Suzanne dans leurs gestes et leurs attitudes. Quel sentiment le narrateur cherche-t-il à susciter chez le lecteur à l'égard de ces deux personnages ?

13 Dans les lignes 33 à 41, relevez les termes appartenant au champ lexical de la violence. Comment le meurtre de Jacques est-il présenté ?

14 Quels éléments donnent à ce récit une dimension théâtrale ?

15 Au regard du dénouement, peut-on dire que le projet de Jacques et Suzanne (« Un meurtre devait tout arranger », l. 26) a satisfait les attentes des deux amants ?

16 Un an après la parution de cette nouvelle, Zola publie un roman qui reprend l'histoire d'*Un mariage d'amour* en la développant. À l'aide d'Internet et des ressources de votre CDI, trouvez le titre de ce roman et comparez son intrigue avec celle de la nouvelle : quelles différences relevez-vous ?

✔ *Rappelez-vous !*

• Ces nouvelles développent une vision pessimiste de l'amour. Ce sentiment y est présenté comme voué à se transformer en haine (*Un mariage d'amour*), soumis à des normes sociales et des impératifs financiers (*Histoire vraie*) ou comme impossible et tragique (*L'Inconnue*).

• Dans un récit, le **point de vue narratif** peut être **interne, externe ou omniscient**. La **focalisation interne à la troisième personne** permet au narrateur d'entrer dans les pensées des personnages et de donner à voir l'action au travers de leur regard. Ainsi assiste-t-on à la dégradation des sentiments de Jacques et de Suzanne (*Un mariage d'amour*) de l'intérieur.

De la lecture à l'écriture

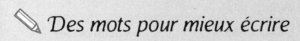 *Des mots pour mieux écrire*

1 **a. À l'aide d'un dictionnaire, trouvez l'intrus qui s'est glissé dans chacune de ces listes.**

A. Adultère | Couple | Ménage | Noce

B. Embrasser | Enlacer | Étreindre | Oppresser

C. Éblouir | Éconduire | Enjôler | Séduire

D. Élan | Répulsion | Tendresse | Transport

b. Dites à quel champ lexical appartiennent les mots de chacune de ces listes.

2 **Reliez chacun des mots suivants à sa définition.**

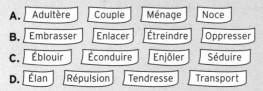

Narrateur omniscient • • Retour en arrière dans le récit

Narrateur interne • • Narrateur qui entre dans les pensées des personnages

Chute • • Début d'un récit

Analepse • • Fin inattendue d'une histoire

Incipit • • Narrateur qui sait tout des personnages

Narrateur externe • • Narrateur qui ignore les pensées des personnages

À vous d'écrire

1 Avant de se suicider, Jacques et Suzanne écrivent chacun leur confession. Choisissez l'un ou l'autre des personnages et rédigez sa lettre d'aveu.

Consigne. Votre texte argumentatif, d'une trentaine de lignes, s'appuiera sur la chronologie de la nouvelle et en présentera les événements selon le point de vue du personnage en développant ses sentiments successifs.

2 En vous appuyant sur votre lecture de *Histoire vraie*, rédigez le portrait physique et moral de Rose juste avant sa mort.

Consigne. Votre texte descriptif, d'une trentaine de lignes, tiendra compte des éléments donnés sur l'évolution physique de Rose et des informations données par le narrateur interne sur son caractère et ses sentiments. Vous veillerez à ordonner votre description.

Du texte à l'image

Histoire des arts

Édouard Manet, *Chez le père Lathuille*, 1879, huile sur toile, musée des Beaux-Arts de Tournai.

➡ **Image reproduite en couverture.**

👁 *Lire l'image*

1 Décrivez la composition de cette toile (plans, couleurs, éclairage): quelle impression s'en dégage?

2 Observez l'attitude des personnages et la direction de leur regard: quelle est selon vous la nature de leur échange?

📰 *Comparer le texte et l'image*

3 Dans quelle mesure le couple de ce tableau rappelle-t-il Félicien et la jeune femme sourde de *L'Inconnue*? Justifiez votre réponse en vous appuyant sur des éléments précis du texte.

4 La relation entre ces deux personnages vous semble-t-elle harmonieuse? Expliquez pourquoi et dites s'il en va de même pour les personnages d'*Un mariage d'amour* et d'*Histoire vraie*.

🖐 *À vous de créer*

5 Vous êtes l'éditeur de ce recueil de nouvelles. Imaginez une couverture qui illustrera de façon réaliste le thème évoqué dans cette partie du recueil et réalisez-la. Vous utiliserez la(les) technique(s) de votre choix (dessin, peinture, montage de photographies...) pour mettre en scène les amours malheureuses de ces récits.

Regards satiriques
sur la société du XIXe siècle

Une victime de la réclame
Émile Zola

Émile Zola (1840-1902) publie cette courte nouvelle dans l'hebdomadaire *L'Illustration* du 17 novembre 1866. Alors que la presse connaît un essor considérable, l'auteur dénonce à travers le personnage de Claude la naïveté de certains de ses contemporains face à la publicité qui envahit déjà les pages des journaux.

J'ai connu un brave garçon qui est mort l'année dernière, et dont la vie a été un long martyre[1].

Claude, dès l'âge de raison, s'était tenu ce raisonnement: « Le plan de mon existence est tout tracé. Je n'ai qu'à accepter aveu-
5 glément les bienfaits de mon âge[2]. Pour marcher avec le progrès et vivre parfaitement heureux, il me suffira de lire les journaux et les affiches, matin et soir, et de faire exactement ce que ces souverains[3] guides me conseilleront. Là est la véritable sagesse, la seule félicité[4] possible. » À partir de ce jour, Claude prit les
10 réclames[5] des journaux et des affiches pour code[6] de sa vie. Elles devinrent le guide infaillible[7] qui le décidait en toutes choses; il n'acheta rien, n'entreprit rien qui ne lui fût recommandé par la grande voix de la publicité.

C'est ainsi que le malheureux a vécu dans un véritable enfer.

---

1. Martyre: souffrance extrême, torture.
2. Âge: époque.
3. Souverains: de la plus haute valeur.
4. Félicité: bonheur extrême.
5. Réclames: annonces publicitaires.
6. Code: ligne de conduite.
7. Infaillible: qui ne peut pas se tromper.

*

15 Claude avait acquis un terrain fait de terres rapportées[1], où il ne
put bâtir que sur pilotis[2]. La maison, construite selon un système
nouveau, tremblait au vent et s'émiettait sous les pluies d'orage.

À l'intérieur, les cheminées, garnies de fumivores ingénieux[3],
fumaient à asphyxier[4] les gens ; les sonnettes électriques s'obs-
20 tinaient à garder le silence ; les cabinets d'aisances[5], établis sur
un modèle excellent, étaient devenus d'horribles cloaques[6] ; les
meubles, qui devaient obéir à des mécanismes particuliers, refu-
saient de s'ouvrir et de se fermer.

Il y avait surtout un piano mécanique qui n'était qu'un mauvais
25 orgue de Barbarie[7], et un coffre-fort incrochetable et incombustible[8] que des voleurs emportèrent tranquillement sur leur dos
par une belle nuit d'hiver.

*

Le malheureux Claude ne souffrait pas seulement dans ses
propriétés, il souffrait dans sa personne.

30 Ses vêtements craquaient en pleine rue. Il les achetait dans
ces maisons qui annoncent un rabais[9] considérable pour cause
de liquidation[10].

---

1. Rapportées : qui n'étaient pas là à l'origine.
2. Pilotis : piliers enfoncés dans le sol pour supporter un édifice construit sur un terrain instable.
3. Fumivores ingénieux : foyers conçus avec inventivité pour ne pas produire de fumée.
4. À asphyxier : au point d'empêcher de respirer.
5. Cabinets d'aisance : toilettes.
6. Cloaques : lieux insalubres.
7. Orgue de Barbarie : petit instrument mécanique à clavier pour musiciens ambulants (péjoratif).
8. Incrochetable et incombustible : qui ne peut ni s'ouvrir ni prendre feu.
9. Rabais : réduction.
10. Liquidation : écoulement à bas prix du stock d'un commerce.

Je le rencontrai un jour complètement chauve. Il avait eu l'idée de changer ses cheveux blonds pour des cheveux noirs, toujours
35 guidé par son amour du progrès. L'eau qu'il venait d'employer avait fait tomber ses cheveux blonds, et il était enchanté, parce que, disait-il, il pouvait maintenant faire usage d'une certaine pommade qui lui donnerait, à coup sûr, une chevelure noire deux fois plus épaisse que son ancienne chevelure blonde.
40 Je ne parlerai pas de toutes les drogues[1] qu'il avala. De robuste qu'il était, il devint maigre et essoufflé. C'est alors que la réclame commença à l'assassiner. Il se crut malade, il se traita selon les excellentes recettes des annonces, et, pour que la médication[2] fût plus énergique, il suivit tous les traitements à la fois, se trou-
45 vant très embarrassé devant l'égale quantité d'éloges[3] décernés à chaque drogue.

*

La réclame ne respecta pas plus son intelligence. Il emplit sa bibliothèque des livres que les journaux lui recommandèrent. La classification qu'il adopta fut des plus ingénieuses : il rangea
50 les volumes par ordre de mérite, je veux dire selon le plus ou le moins de lyrisme[4] des articles payés par les éditeurs.

Toutes les sottises et toutes les infamies[5] contemporaines s'entassèrent là. Jamais on ne vit pareil amas de turpitudes[6]. Et Claude avait eu le soin de coller, sur le dos de chaque volume, la réclame
55 qui le lui avait fait acheter.

Lorsqu'il ouvrait un livre, il savait ainsi à l'avance l'enthousiasme qu'il devait témoigner ; il riait ou il pleurait suivant la formule.

À ce régime, il devint complètement idiot.

---

1. **Drogues** : médicaments.
2. **Médication** : traitement à base de médicaments.
3. **Éloges** : discours vantant les mérites d'une personne ou d'un produit.
4. **Lyrisme** : ici, enthousiasme exagéré.
5. **Infamies** : ici, lectures honteuses.
6. **Turpitudes** : ici, textes sans aucune valeur morale.

*

Le dernier acte de ce drame fut navrant[1].

60 Claude, ayant lu qu'une somnambule[2] guérissait tous les maux, s'empressa d'aller la consulter sur les maladies qu'il n'avait pas. La somnambule lui offrit obligeamment[3] de le rajeunir en lui indiquant le moyen de n'avoir plus que seize ans. Il s'agissait simplement de prendre un bain et de boire une certaine eau.

65 Il avala la drogue, se plongea dans le bain, et il s'y rajeunit si absolument[4], qu'au bout d'une demi-heure, on l'y trouva étouffé.

Même après sa mort, Claude fut la victime des annonces. Par testament, il avait voulu être enseveli dans une bière[5] à embaumement[6] instantané, dont un droguiste[7] venait de prendre le
70 brevet[8]. La bière, au cimetière, s'ouvrit en deux, et le misérable cadavre glissa dans la boue et dut être enterré pêle-mêle[9] avec les planches rompues de la caisse.

Son tombeau, en carton-pierre et en similimarbre[10], détrempé par les pluies du premier hiver, ne fut bientôt plus sur sa fosse
75 qu'un tas de pourriture sans nom.

---

1. **Navrant** : désolant, regrettable.
2. **Somnambule** : ici, sorte de guérisseuse.
3. **Obligeamment** : dans l'intention de rendre un service (ironique).
4. **Absolument** : complètement.
5. **Bière** : cercueil.
6. **Embaumement** : procédé par lequel on traite un cadavre pour le conserver.
7. **Droguiste** : personne qui tient un commerce de produits d'hygiène et d'entretien.
8. **Brevet** : autorisation de production.
9. **Pêle-mêle** : dans un mélange confus.
10. **Carton-pierre et similimarbre** : matières de mauvaise qualité.

La Parure

Guy de Maupassant

D'abord publiée dans *Le Gaulois* du 17 février 1884, *La Parure* fera partie du recueil des *Contes du jour et de la nuit* (1885). Guy de Maupassant (1850-1893) révèle ici ce qu'il en coûte de vouloir à tout prix se hisser au-dessus de sa condition sociale...

C'était une de ces jolies et charmantes filles, nées, comme par une erreur du destin, dans une famille d'employés. Elle n'avait pas de dot[1], pas d'espérances, aucun moyen d'être connue, comprise, aimée, épousée par un homme riche et distingué ;
5 et elle se laissa marier avec un petit commis du ministère de l'Instruction publique[2].

Elle fut simple ne pouvant être parée[3], mais malheureuse comme une déclassée[4] ; car les femmes n'ont point de caste[5] ni de race, leur beauté, leur grâce et leur charme leur servant de naissance
10 et de famille. Leur finesse native[6], leur instinct d'élégance, leur souplesse d'esprit, sont leur seule hiérarchie, et font des filles du peuple les égales des plus grandes dames.

Elle souffrait sans cesse, se sentant née pour toutes les délicatesses et tous les luxes. Elle souffrait de la pauvreté de son logement,

---

1. Dot : biens qu'une femme apportait à son époux et à sa famille en se mariant.
2. Commis du ministère de l'Instruction publique : employé du ministère chargé de l'éducation.
3. Ne pouvant être parée : n'ayant pas les moyens de porter de beaux bijoux.
4. Déclassée : qui a perdu son rang social élevé.
5. Caste : catégorie sociale à laquelle on appartient par la naissance.
6. Native : innée, de naissance.

15 de la misère des murs, de l'usure des sièges, de la laideur des
étoffes[1]. Toutes ces choses, dont une autre femme de sa caste ne
se serait même pas aperçue, la torturaient et l'indignaient. La vue
de la petite Bretonne qui faisait son humble ménage éveillait en
elle des regrets désolés et des rêves éperdus[2]. Elle songeait aux
20 antichambres[3] muettes, capitonnées[4] avec des tentures orientales,
éclairées par de hautes torchères[5] de bronze, et aux deux grands
valets en culotte courte[6] qui dorment dans les larges fauteuils,
assoupis par la chaleur lourde du calorifère[7]. Elle songeait aux
grands salons vêtus de soie ancienne, aux meubles fins portant
25 des bibelots inestimables[8], et aux petits salons coquets, parfumés,
faits pour la causerie de cinq heures avec les amis les plus intimes,
les hommes connus et recherchés dont toutes les femmes envient
et désirent l'attention.

Quand elle s'asseyait, pour dîner, devant la table ronde couverte
30 d'une nappe de trois jours, en face de son mari qui découvrait
la soupière en déclarant d'un air enchanté : « Ah ! le bon pot-
au-feu ! je ne sais rien de meilleur que cela… » elle songeait aux
dîners fins, aux argenteries[9] reluisantes, aux tapisseries peuplant
les murailles de personnages anciens et d'oiseaux étranges au
35 milieu d'une forêt de féerie[10] ; elle songeait aux plats exquis servis
en des vaisselles merveilleuses, aux galanteries[11] chuchotées et

---

1. **Étoffes** : tissus.
2. **Éperdus** : pleins de désespoir.
3. **Antichambres** : pièces précédant le salon où patientaient les visiteurs dans les riches maisons.
4. **Capitonnées** : garnies d'un rembourrage de soie.
5. **Torchères** : grands chandeliers.
6. **Culotte courte** : pantalon court d'homme qui s'arrête au-dessus du genou.
7. **Calorifère** : appareil de chauffage.
8. **Bibelots inestimables** : petits objets de décoration de grande valeur.
9. **Argenteries** : couverts et ustensiles de vaisselle en argent.
10. **De féerie** : merveilleuse, digne d'un conte de fées.
11. **Galanteries** : paroles de séduction.

écoutées avec un sourire de sphinx[1], tout en mangeant la chair rose d'une truite ou des ailes de gelinotte[2].

Elle n'avait pas de toilettes[3], pas de bijoux, rien. Et elle n'aimait
40 que cela ; elle se sentait faite pour cela. Elle eût tant désiré plaire, être enviée, être séduisante et recherchée.

Elle avait une amie riche, une camarade de couvent[4] qu'elle ne voulait plus aller voir, tant elle souffrait en revenant. Et elle pleurait pendant des jours entiers, de chagrin, de regret, de
45 désespoir et de détresse.

Or, un soir, son mari rentra, l'air glorieux[5], et tenant à la main une large enveloppe.

« Tiens, dit-il, voici quelque chose pour toi. »

Elle déchira vivement le papier et en tira une carte imprimée
50 qui portait ces mots :

« Le ministre de l'Instruction .publique et Mme Georges Ramponneau prient M. et Mme Loisel de leur faire l'honneur devenir passer la soirée à l'hôtel[6] du ministère, le lundi 18 janvier. »

Au lieu d'être ravie, comme l'espérait son mari, elle jeta avec
55 dépit[7] l'invitation sur la table, murmurant :

« Que veux-tu que je fasse de cela ?

– Mais, ma chérie, je pensais que tu serais contente. Tu ne sors jamais, et c'est une occasion, cela, une belle ! J'ai eu une peine infinie à l'obtenir. Tout le monde en veut ; c'est très recherché
60 et on n'en donne pas beaucoup aux employés. Tu verras là tout le monde officiel. »

Elle le regardait d'un œil irrité, et elle déclara avec impatience :

---

1. De sphinx : ici, mystérieux (le sphinx est une créature de la mythologie grecque qui épargnait la vie de ses victimes à condition qu'elles répondent à ses énigmes).
2. Gelinotte : oiseau voisin de la perdrix.
3. Toilettes : tenues élégantes pour sortir.
4. Couvent : établissement religieux où les jeunes filles étaient éduquées.
5. Glorieux : fier.
6. Hôtel : ici, bâtiment officiel.
7. Dépit : déception mêlée de colère.

« Que veux-tu que je me mette sur le dos pour aller là ? »

Il n'y avait pas songé ; il balbutia[1] :

65 « Mais la robe avec laquelle tu vas au théâtre. Elle me semble très bien, à moi… »

Il se tut, stupéfait, éperdu, en voyant que sa femme pleurait. Deux grosses larmes descendaient lentement des coins des yeux vers les coins de la bouche ; il bégaya :

70 « Qu'as-tu ? qu'as-tu ? »

Mais, par un effort violent, elle avait dompté sa peine et elle répondit d'une voix calme en essuyant ses joues humides :

« Rien. Seulement je n'ai pas de toilette et par conséquent je ne peux aller à cette fête. Donne ta carte à quelque collègue

75 dont la femme sera mieux nippée[2] que moi. »

Il était désolé. Il reprit :

« Voyons, Mathilde. Combien cela coûterait-il, une toilette convenable, qui pourrait te servir encore en d'autres occasions, quelque chose de très simple ? »

80 Elle réfléchit quelques secondes, établissant ses comptes et songeant aussi à la somme qu'elle pouvait demander sans s'attirer un refus immédiat et une exclamation effarée[3] du commis économe[4].

Enfin, elle répondit en hésitant :

85 « Je ne sais pas au juste, mais il me semble qu'avec quatre cents francs je pourrais arriver. »

Il avait un peu pâli, car il réservait juste cette somme pour acheter un fusil et s'offrir des parties de chasse, l'été suivant, dans la plaine de Nanterre, avec quelques amis qui allaient tirer

90 des alouettes, par là, le dimanche.

Il dit cependant :

---

1. Balbutia : bredouilla.
2. Nippée : habillée (familier).
3. Effarée : affolée.
4. Économe : soucieux d'économiser les ressources du couple.

« Soit. Je te donne quatre cents francs. Mais tâche d'avoir une belle robe. »

Le jour de la fête approchait, et Mme Loisel semblait triste,
95 inquiète, anxieuse. Sa toilette était prête cependant. Son mari lui dit un soir :

« Qu'as-tu ? Voyons, tu es toute drôle depuis trois jours. »

Et elle répondit :

« Cela m'ennuie de n'avoir pas un bijou, pas une pierre[1], rien
100 à mettre sur moi. J'aurai l'air misère comme tout. J'aimerais presque mieux ne pas aller à cette soirée. »

Il reprit :

« Tu mettras des fleurs naturelles. C'est très chic en cette saison-ci. Pour dix francs tu auras deux ou trois roses magnifiques. »

105 Elle n'était point convaincue.

« Non… il n'y a rien de plus humiliant que d'avoir l'air pauvre au milieu de femmes riches. »

Mais son mari s'écria :

« Que tu es bête ! Va trouver ton amie Mme Forestier et demande-
110 lui de te prêter des bijoux. Tu es bien assez liée avec elle pour faire cela. »

Elle poussa un cri de joie :

« C'est vrai. Je n'y avais point pensé. »

Le lendemain, elle se rendit chez son amie et lui conta sa
115 détresse.

Mme Forestier alla vers son armoire à glace, prit un large coffret, l'apporta, l'ouvrit, et dit à Mme Loisel :

« Choisis, ma chère. »

Elle vit d'abord des bracelets, puis un collier de perles, puis
120 une croix vénitienne[2], or et pierreries, d'un admirable travail.

---

1. Pierre : ici, pierre précieuse.
2. Croix vénitienne : grande croix ornée de pierres précieuses, produite à Venise.

Elle essayait les parures[1] devant la glace, hésitait, ne pouvait se décider à les quitter, à les rendre.

Elle demandait toujours :

« Tu n'as plus rien d'autre ?

125   – Mais si. Cherche. Je ne sais pas ce qui peut te plaire. »

Tout à coup elle découvrit, dans une boîte de satin[2] noir, une superbe rivière[3] de diamants ; et son cœur se mit à battre d'un désir immodéré[4]. Ses mains tremblaient en la prenant. Elle l'attacha autour de sa gorge, sur sa robe montante, et demeura en

130   extase[5] devant elle-même.

Puis, elle demanda, hésitante, pleine d'angoisse :

« Peux-tu me prêter cela, rien que cela ?

– Mais oui, certainement. »

Elle sauta au cou de son amie, l'embrassa avec emportement[6],

135   puis s'enfuit avec son trésor.

Le jour de la fête arriva. Mme Loisel eut un succès. Elle était plus jolie que toutes, élégante, gracieuse, souriante et folle de joie. Tous les hommes la regardaient, demandaient son nom, cherchaient à être présentés. Tous les attachés du cabinet[7] vou-

140   laient valser avec elle. Le ministre la remarqua.

Elle dansait avec ivresse, avec emportement, grisée[8] par le plaisir, ne pensant plus à rien, dans le triomphe de sa beauté, dans la gloire de son succès, dans une sorte de nuage de bonheur fait de tous ces hommages, de toutes ces admirations, de tous ces

145   désirs éveillés, de cette victoire si complète et si douce au cœur des femmes.

---

1. Parures : bijoux.
2. Satin : étoffe de soie.
3. Rivière : large collier.
4. Immodéré : déraisonnable, excessif.
5. Extase : grande admiration.
6. Emportement : enthousiasme.
7. Attachés du cabinet : proches conseillers du ministre.
8. Grisée : enivrée, emportée.

Elle partit vers quatre heures du matin. Son mari, depuis minuit, dormait dans un petit salon désert avec trois autres messieurs dont les femmes s'amusaient beaucoup.

150 Il lui jeta sur les épaules les vêtements qu'il avait apportés pour la sortie, modestes vêtements de la vie ordinaire, dont la pauvreté jurait[1] avec l'élégance de la toilette de bal. Elle le sentit et voulut s'enfuir, pour ne pas être remarquée par les autres femmes qui s'enveloppaient de riches fourrures.

155 Loisel la retenait :

« Attends donc. Tu vas attraper froid dehors. Je vais appeler un fiacre[2]. »

Mais elle ne l'écoutait point et descendait rapidement l'escalier. Lorsqu'ils furent dans la rue, ils ne trouvèrent pas de voiture ; et 160 ils se mirent à chercher, criant après les cochers qu'ils voyaient passer de loin.

Ils descendaient vers la Seine, désespérés, grelottants. Enfin ils trouvèrent sur le quai un de ces vieux coupés noctambules[3] qu'on ne voit dans Paris que la nuit venue, comme s'ils eussent 165 été honteux de leur misère pendant le jour.

Il les ramena jusqu'à leur porte, rue des Martyrs, et ils remontèrent tristement chez eux. C'était fini, pour elle. Et il songeait, lui, qu'il lui faudrait être au ministère à dix heures.

Elle ôta les vêtements dont elle s'était enveloppé les épaules, 170 devant la glace, afin de se voir encore une fois dans sa gloire. Mais soudain elle poussa un cri. Elle n'avait plus sa rivière autour du cou !

Son mari, à moitié dévêtu déjà, demanda :

« Qu'est-ce que tu as ? »

175 Elle se tourna vers lui, affolée :

« J'ai… j'ai… je n'ai plus la rivière de Mme Forestier. »

---

1. Jurait : contrastait.
2. Fiacre : calèche tirée par un cheval et conduite par un cocher.
3. Coupés noctambules : voitures à cheval, pour deux passagers, qui roulent la nuit.

Il se dressa, éperdu :

« Quoi !… comment !… Ce n'est pas possible ! »

Et ils cherchèrent dans les plis de la robe, dans les plis du
180 manteau, dans les poches, partout. Ils ne la trouvèrent point.

Il demandait :

« Tu es sûre que tu l'avais encore en quittant le bal ?

– Oui, je l'ai touchée dans le vestibule[1] du ministère.

– Mais, si tu l'avais perdue dans la rue, nous l'aurions entendue
185 tomber. Elle doit être dans le fiacre.

– Oui. C'est probable. As-tu pris le numéro ?

– Non. Et toi, tu ne l'as pas regardé ?

– Non. »

Ils se contemplaient atterrés[2]. Enfin Loisel se rhabilla.

190 « Je vais, dit-il, refaire tout le trajet que nous avons fait à pied,
pour voir si je ne la retrouverai pas. »

Et il sortit. Elle demeura en toilette de soirée, sans force pour
se coucher, abattue sur une chaise, sans feu, sans pensée.

Son mari rentra vers sept heures. Il n'avait rien trouvé. Il se
195 rendit à la préfecture de Police, aux journaux, pour faire pro-
mettre une récompense, aux compagnies de petites voitures,
partout enfin où un soupçon d'espoir le poussait.

Elle attendit tout le jour, dans le même état d'effarement[3]
devant cet affreux désastre.

200 Loisel revint le soir, avec la figure creusée, pâlie ; il n'avait rien
découvert.

« Il faut, dit-il, écrire à ton amie que tu as brisé la fermeture de
sa rivière et que tu la fais réparer. Cela nous donnera le temps
de nous retourner[4]. »

205 Elle écrivit sous sa dictée.

---

1. Vestibule : pièce d'entrée.
2. Atterrés : consternés.
3. Effarement : stupéfaction.
4. Retourner : prendre des mesures pour régler la situation.

Au bout d'une semaine, ils avaient perdu toute espérance. Et Loisel, vieilli de cinq ans, déclara :

« Il faut aviser[1] à remplacer ce bijou. »

Ils prirent, le lendemain, la boîte qui l'avait renfermé, et se rendirent chez le joaillier, dont le nom se trouvait dedans. Il consulta ses livres :

« Ce n'est pas moi, madame, qui ai vendu cette rivière ; j'ai dû seulement fournir l'écrin[2]. »

Alors ils allèrent de bijoutier en bijoutier, cherchant une parure pareille à l'autre, consultant leurs souvenirs, malades tous deux de chagrin et d'angoisse.

Ils trouvèrent, dans une boutique du Palais Royal, un chapelet[3] de diamants qui leur parut entièrement semblable à celui qu'ils cherchaient. Il valait quarante mille francs. On le leur laisserait à trente-six mille.

Ils prièrent donc le joaillier de ne pas le vendre avant trois jours. Et ils firent condition[4] qu'on le reprendrait, pour trente-quatre mille francs, si le premier était retrouvé avant la fin de février.

Loisel possédait dix-huit mille francs que lui avait laissés son père. Il emprunterait le reste.

Il emprunta, demandant mille francs à l'un, cinq cents à l'autre, cinq louis[5] par-ci, trois louis par-là. Il fit des billets[6], prit des engagements ruineux, eut affaire aux usuriers[7], à toutes les races de prêteurs. Il compromit[8] toute la fin de son existence, risqua sa signature sans savoir même s'il pourrait y faire honneur[9], et, épouvanté par les angoisses de l'avenir, par la noire misère

---

1. Aviser : songer, réfléchir.
2. Écrin : étui à bijoux.
3. Chapelet : ici, ensemble de perles enfilées ou accrochées les unes aux autres.
4. Firent condition : obtinrent la garantie.
5. Louis : pièces en or.
6. Fit des billets : signa des reconnaissances de dettes, documents par lesquels un emprunteur s'engage à rembourser la personne qui lui prête de l'argent.
7. Usuriers : personnes qui prêtent de l'argent à des taux extrêmement élevés.
8. Compromit : mit en danger.
9. Y faire honneur : tenir ses engagements.

qui allait s'abattre sur lui, par la perspective de toutes les priva-
tions physiques et de toutes les tortures morales, il alla chercher
la rivière nouvelle, en déposant sur le comptoir du marchand
235 trente-six mille francs.

Quand Mme Loisel reporta la parure à Mme Forestier, celle-ci
lui dit, d'un air froissé[1] :

« Tu aurais dû me la rendre plus tôt, car, je pouvais en avoir
besoin. »
240 Elle n'ouvrit pas l'écrin, ce que redoutait son amie. Si elle s'était
aperçue de la substitution[2], qu'aurait-elle pensé ? qu'aurait-elle
dit ? Ne l'aurait-elle pas prise pour une voleuse ?

Mme Loisel connut la vie horrible des nécessiteux[3]. Elle prit
son parti[4], d'ailleurs, tout d'un coup, héroïquement. Il fallait
245 payer cette dette effroyable. Elle payerait. On renvoya la bonne ;
on changea de logement ; on loua sous les toits une mansarde[5].

Elle connut les gros travaux du ménage, les odieuses besognes[6]
de la cuisine. Elle lava la vaisselle, usant ses ongles roses sur les
poteries grasses et le fond des casseroles. Elle savonna le linge sale,
250 les chemises et les torchons, qu'elle faisait sécher sur une corde ;
elle descendit à la rue, chaque matin, les ordures, et monta l'eau,
s'arrêtant à chaque étage pour souffler. Et, vêtue comme une
femme du peuple, elle alla chez le fruitier, chez l'épicier, chez
le boucher, le panier au bras, marchandant, injuriée, défendant
255 sou à sou son misérable argent.

Il fallait chaque mois payer des billets[7], en renouveler d'autres,
obtenir du temps.

---

1. **Froissé** : vexé, contrarié.
2. **Substitution** : remplacement d'une chose par une autre.
3. **Nécessiteux** : pauvres.
4. **Prit son parti** : accepta sa situation.
5. **Mansarde** : pièce aménagée sous les toits, généralement réservée aux domestiques.
6. **Besognes** : tâches ménagères.
7. **Payer des billets** : rembourser des dettes.

Le mari travaillait, le soir, à mettre au net[1] les comptes d'un commerçant, et la nuit, souvent, il faisait de la copie à cinq sous la page.

260 Et cette vie dura dix ans.

Au bout de dix ans, ils avaient tout restitué, tout, avec le taux de l'usure[2], et l'accumulation des intérêts superposés.

Mme Loisel semblait vieille, maintenant. Elle était devenue la femme forte, et dure, et rude, des ménages[3] pauvres. Mal peignée, avec les jupes de travers et les mains rouges, elle parlait haut, lavait à grande eau les planchers. Mais parfois, lorsque son mari était au bureau, elle s'asseyait auprès de la fenêtre, et elle songeait à cette soirée d'autrefois, à ce bal, où elle avait été si belle et si fêtée.

270 Que serait-il arrivé si elle n'avait point perdu cette parure? Qui sait? qui sait? Comme la vie est singulière[4], changeante! Comme il faut peu de chose pour vous perdre ou vous sauver!

Or, un dimanche, comme elle était allée faire un tour aux Champs-Élysées pour se délasser[5] des besognes de la semaine, elle aperçut tout à coup une femme qui promenait un enfant. C'était Mme Forestier, toujours jeune, toujours belle, toujours séduisante.

Mme Loisel se sentit émue. Allait-elle lui parler? Oui, certes. Et maintenant qu'elle avait payé, elle lui dirait tout. Pourquoi pas?

280 Elle s'approcha.

« Bonjour, Jeanne. »

L'autre ne la reconnaissait point, s'étonnant d'être appelée ainsi familièrement par cette bourgeoise[6]. Elle balbutia:

---

1. **Mettre au net**: tenir à jour.
2. **Taux de l'usure**: taux d'intérêt qui augmente la somme à rembourser.
3. **Ménages**: couples.
4. **Singulière**: étonnante.
5. **Se délasser**: se détendre, se reposer.
6. **Bourgeoise**: ici, femme du peuple (péjoratif et familier).

285 «Mais… madame!… Je ne sais… Vous devez vous tromper.

– Non. Je suis Mathilde Loisel.»

Son amie poussa un cri :

«Oh!… ma pauvre Mathilde, comme tu es changée!…

– Oui, j'ai eu des jours bien durs, depuis que je ne t'ai vue ; et
290 bien des misères… et cela à cause de toi!…

– De moi… Comment ça?

– Tu te rappelles bien cette rivière de diamants que tu m'as prêtée pour aller à la fête du ministère.

– Oui. Eh bien?

295 – Eh bien, je l'ai perdue.

– Comment! puisque tu me l'as rapportée.

– Je t'en ai rapporté une autre toute pareille. Et voilà dix ans que nous la payons. Tu comprends que ça n'était pas aisé pour nous, qui n'avions rien… Enfin c'est fini, et je suis rudement
300 contente.»

Mme Forestier s'était arrêtée.

«Tu dis que tu as acheté une rivière de diamants pour remplacer la mienne?

– Oui. Tu ne t'en étais pas aperçue, hein? Elles étaient bien
305 pareilles.»

Et elle souriait d'une joie orgueilleuse et naïve.

Mme Forestier, fort émue, lui prit les deux mains.

«Oh! ma pauvre Mathilde! Mais la mienne était fausse. Elle valait au plus cinq cents francs!…»

Le Petit Fût

Guy de Maupassant

Guy de Maupassant (1850-1893) publie *Le Petit Fût* dans *Le Gaulois* le 7 avril 1884, nouvelle qui sera reprise la même année dans son recueil *Les Sœurs Rondoli*. Cette histoire, dont le cadre est la paysannerie normande de la deuxième moitié du xixᵉ siècle, souligne la moralité douteuse de ses personnages et le rôle de l'argent dans les rapports sociaux...

À Adolphe Tavernier.

Maître Chicot, l'aubergiste d'Épreville[1], arrêta son tilbury[2] devant la ferme de la mère Magloire. C'était un grand gaillard[3] de quarante ans, rouge et ventru, et qui passait pour malicieux.

Il attacha son cheval au poteau de la barrière, puis il pénétra
5 dans la cour. Il possédait un bien attenant aux terres[4] de la vieille, qu'il convoitait[5] depuis longtemps. Vingt fois il avait essayé de les acheter, mais la mère Magloire s'y refusait avec obstination[6].

«J'y sieus née, j'y mourrai», disait-elle.

10 Il la trouva épluchant des pommes de terre devant sa porte. Âgée de soixante-douze ans, elle était sèche, ridée, courbée, mais

---

1. **Épreville**: ville de Normandie.
2. **Tilbury**: véhicule léger à deux roues tiré par un cheval.
3. **Gaillard**: homme costaud (familier).
4. **Bien attenant aux terres**: terrain voisin des terres.
5. **Convoitait**: désirait posséder.
6. **Obstination**: entêtement.

infatigable comme une jeune fille. Chicot lui tapa dans le dos avec amitié, puis s'assit près d'elle sur un escabeau[1].

«Eh bien! la mère, et c'te santé, toujours bonne?

15 — Pas trop mal, et vous, maît' Prosper?

— Eh! eh! quéques douleurs; sans ça, ce s'rait à satisfaction.

— Allons, tant mieux!»

Et elle ne dit plus rien. Chicot la regardait accomplir sa besogne[2]. Ses doigts crochus, noués[3], durs comme des pattes de crabe, sai-
20 sissaient à la façon de pinces les tubercules[4] grisâtres dans une manne[5], et vivement elle les faisait tourner, enlevant de longues bandes de peau sous la lame d'un vieux couteau qu'elle tenait de l'autre main. Et, quand la pomme de terre était devenue toute jaune, elle la jetait dans un seau d'eau. Trois poules hardies[6] s'en
25 venaient l'une après l'autre jusque dans ses jupes ramasser les éplu-
chures, puis se sauvaient à toutes pattes, portant au bec leur butin.

Chicot semblait gêné, hésitant, anxieux, avec quelque chose sur la langue qui ne voulait pas sortir. À la fin, il se décida:

«Dites donc, mère Magloire...

30 — Qué qu'i a pour votre service?

— C'te ferme, vous n'voulez toujours point m'la vendre?

— Pour ça non. N'y comptez point. C'est dit, c'est dit, n'y r'venez pas.

— C'est qu'j'ai trouvé un arrangement qui f'rait notre affaire
35 à tous les deux.

— Qué qu'c'est?

— Le v'là. Vous m'la vendez, et pi vous la gardez tout d'même. Vous n'y êtes point? Suivez ma raison[7].»

---

1. **Escabeau**: sorte de tabouret.
2. **Besogne**: tâche.
3. **Noués**: raidis par les rhumatismes.
4. **Tubercules**: pommes de terre.
5. **Manne**: panier.
6. **Hardies**: audacieuses.
7. **Vous n'y êtes point? Suivez ma raison**: vous ne comprenez pas? Suivez mon raisonnement.

La vieille cessa d'éplucher ses légumes et fixa sur l'aubergiste
40 ses yeux vifs sous leurs paupières fripées.

Il reprit:

«Je m'explique. J'vous donne, chaque mois cent cinquante francs. Vous entendez bien: chaque mois j'vous apporte ici, avec mon tilbury, trente écus de cent sous. Et pi n'y a rien de changé
45 de plus, rien de rien; vous restez chez vous, vous n'vous occupez point de mé, vous n'me d'vez rien. Vous n'faites que prendre mon argent. Ça vous va-t-il?»

Il la regardait d'un air joyeux, d'un air de bonne humeur.

La vieille le considérait avec méfiance, cherchant le piège.
50 Elle demanda:

«Ça, c'est pour mé; mais pour vous, c'te ferme, ça n'vous la donne point?»

Il reprit:

«N'vous tracassez point de ça. Vous restez tant que l'bon Dieu
55 vous laissera vivre. Vous êtes chez vous. Seulement vous m'ferez un p'tit papier chez l'notaire pour qu'après vous ça me revienne. Vous n'avez point d'éfants, rien qu'des neveux que vous n'y tenez guère. Ça vous va-t-il? Vous gardez votre bien votre vie durant, et j'vous donne trente écus de cent sous par mois. C'est tout
60 gain[1] pour vous.»

La vieille demeurait surprise, inquiète, mais tentée. Elle répliqua:

«Je n'dis point non. Seulement, j'veux m'faire une raison[2] là-dessus. Rev'nez causer[3] d'ça dans l'courant d'l'autre semaine. J'vous f'rai une réponse d'mon idée.»
65 Et maître Chicot s'en alla, content comme un roi qui vient de conquérir un empire.

La mère Magloire demeura songeuse. Elle ne dormit pas la nuit suivante. Pendant quatre jours, elle eut une fièvre d'hésitation. Elle

---

1. **C'est tout gain**: ce n'est que bénéfice.
2. **J'veux m'faire une raison**: je veux réfléchir.
3. **Causer**: discuter.

flairait bien quelque chose de mauvais pour elle là-dedans, mais
70 la pensée des trente écus par mois, de ce bel argent sonnant qui
s'en viendrait couler dans son tablier, qui lui tomberait comme
ça du ciel, sans rien faire, la ravageait de désir[1].

Alors elle alla trouver le notaire et lui conta son cas. Il lui
conseilla d'accepter la proposition de Chicot, mais en demandant
75 cinquante écus de cent sous au lieu de trente, sa ferme valant au
bas mot[2] soixante mille francs.

« Si vous vivez quinze ans, disait le notaire, il ne la paiera encore
de cette façon, que quarante-cinq mille francs. »

La vieille frémit[3] à cette perspective de cinquante écus de cent
80 sous par mois ; mais elle se méfiait toujours, craignant mille choses
imprévues, des ruses cachées, et elle demeura jusqu'au soir à
poser des questions, ne pouvant se décider à partir. Enfin elle
ordonna de préparer l'acte[4], et elle rentra troublée comme si
elle eût bu quatre pots de cidre nouveau[5].

85 Quand Chicot vint pour savoir la réponse, elle se fit longtemps
prier, déclarant qu'elle ne voulait pas, mais rongée par la peur
qu'il ne consentît point[6] à donner les cinquante pièces de cent
sous. Enfin, comme il insistait, elle énonça ses prétentions[7].

Il eut un sursaut de désappointement[8] et refusa.

90 Alors, pour le convaincre, elle se mit à raisonner sur la durée
probable de sa vie.

« Je n'en ai pas pour pu de cinq à six ans pour sûr. Me v'là
sur mes soixante-treize, et pas vaillante[9] avec ça. L'aut'e soir,

---

1. **La ravageait de désir** : lui faisait éprouver un violent désir.
2. **Au bas mot** : au moins.
3. **Frémit** : fut parcouru d'un frisson, ici de plaisir.
4. **Acte** : document officiel du notaire.
5. **Cidre nouveau** : boisson alcoolisée, à base de jus de pommes, qui vient d'être faite.
6. **Ne consentît point** : n'accepte pas.
7. **Prétentions** : exigences.
8. **Désappointement** : déception.
9. **Pas vaillante** : pas en bonne forme.

je crûmes[1] que j'allais passer[2]. Il me semblait qu'on me vidait
95 l'corps, qu'il a fallu me porter à mon lit.»

Mais Chicot ne se laissait pas prendre.

«Allons, allons, vieille pratique[3], vous êtes solide comme l' clocher
d' l'église. Vous vivrez pour le moins cent dix ans. C'est vous qui
m'enterrerez, pour sûr.»

100 Tout le jour fut encore perdu en discussions. Mais, comme la
vieille ne céda pas, l'aubergiste, à la fin, consentit à donner les
cinquante écus.

Ils signèrent l'acte le lendemain. Et la mère Magloire exigea
dix écus de pots-de-vin[4].

105 Trois ans s'écoulèrent. La bonne femme se portait comme un
charme[5]. Elle paraissait n'avoir pas vieilli d'un jour, et Chicot se
désespérait. Il lui semblait, à lui, qu'il payait cette rente[6] depuis
un demi-siècle, qu'il était trompé, floué[7], ruiné. Il allait de temps
en temps rendre visite à la fermière, comme on va voir, en juil-
110 let, dans les champs, si les blés sont mûrs pour la faux[8]. Elle le
recevait avec une malice dans le regard. On eût dit qu'elle se
félicitait du bon tour qu'elle lui avait joué; et il remontait bien
vite dans son tilbury en murmurant:

«Tu ne crèveras donc point, carcasse[9]!»

115 Il ne savait que faire. Il eût voulu l'étrangler en la voyant. Il la
haïssait d'une haine féroce, sournoise, d'une haine de paysan volé.

Alors il chercha des moyens.

---

1. Je crûmes: je crus (association des premières personnes du singulier et du pluriel propre au patois normand).
2. Passer: mourir.
3. Vieille pratique: friponne (populaire).
4. Pots-de-vin: somme d'argent demandée pour conclure un marché.
5. Se portait comme un charme: était en parfaite santé.
6. Rente: somme à payer régulièrement.
7. Floué: escroqué.
8. Faux: instrument à longue lame utilisé pour le fauchage des céréales.
9. Carcasse: ici, corps amoindri, usé.

Un jour enfin, il s'en revint la voir en se frottant les mains, comme il faisait la première fois lorsqu'il lui avait proposé le
120 marché.

Et après avoir causé quelques minutes :

«Dites donc, la mère, pourquoi que vous ne v'nez point dîner à la maison, quand vous passez à Épreville? On en jase[1]; on dit comme ça que j'sommes pu amis, et ça me fait deuil[2]. Vous
125 savez, chez mé, vous ne paierez point. J'suis pas regardant[3] à un dîner. Tant que le cœur vous en dira, v'nez sans retenue, ça m'fera plaisir.»

La mère Magloire ne se le fit point répéter, et le surlendemain, comme elle allait au marché dans sa carriole[4] conduite par son
130 valet Célestin, elle mit sans gêne son cheval à l'écurie chez maître Chicot, et réclama le dîner promis.

L'aubergiste, radieux, la traita comme une dame[5], lui servit du poulet, du boudin, de l'andouille, du gigot et du lard aux choux. Mais elle ne mangea presque rien, sobre[6] depuis son
135 enfance, ayant toujours vécu d'un peu de soupe et d'une croûte de pain beurrée.

Chicot insistait, désappointé. Elle ne buvait pas non plus. Elle refusa de prendre du café.

Il demanda :
140 «Vous accepterez toujours bien un p'tit verre.

– Ah! pour ça, oui. Je ne dis pas non.»

Et il cria de tous ses poumons, à travers l'auberge :

«Rosalie, apporte la fine, la surfine, le fil-en-dix[7].»

---

1. Jase : bavarde de façon indiscrète et médisante.
2. Ça me fait deuil : cela me fait de la peine (patois normand).
3. J'suis pas regardant : je ne suis pas avare.
4. Carriole : petite calèche.
5. La traita comme une dame : la servit comme si elle était une dame importante, eut des égards.
6. Sobre : ici, habituée à manger de petites quantités.
7. La fine, la surfine, le fil-en-dix : eau-de-vie, alcool très fort de confection artisanale (familier).

Et la servante apparut, tenant une longue bouteille ornée d'une
145 feuille de vigne en papier.

Il emplit deux petits verres.

«Goûtez ça, la mère, c'est de la fameuse.»

Et la bonne femme se mit à boire tout doucement, à petites
gorgées, faisant durer le plaisir. Quand elle eut vidé son verre,
150 elle l'égoutta, puis déclara:

«Ça oui, c'est de la fine.»

Elle n'avait point fini de parler que Chicot lui en versait un
second coup. Elle voulut refuser, mais il était trop tard, et elle le
dégusta longuement, comme le premier.

155 Il voulut alors lui faire accepter une troisième tournée, mais
elle résista. Il insistait:

«Ça, c'est du lait, voyez-vous; mé, j'en bois dix, douze sans
embarras[1]. Ça passe comme du sucre. Rien au ventre, rien à la
tête; on dirait que ça s'évapore sur la langue. Y a rien de meilleur
160 pour la santé!»

Comme elle en avait bien envie, elle céda, mais elle n'en prit
que la moitié du verre.

Alors Chicot, dans un élan de générosité, s'écria:

«T'nez, puisqu'elle vous plaît, j'vas vous en donner un p'tit
165 fût[2], histoire de vous montrer que j' sommes toujours une paire
d'amis.»

La bonne femme ne dit pas non et s'en alla, un peu grise[3].

Le lendemain, l'aubergiste entra dans la cour de la mère Magloire,
puis tira du fond de sa voiture une petite barrique[4] cerclée de
170 fer. Puis il voulut lui faire goûter le contenu, pour prouver que
c'était bien la même fine; et, quand ils en eurent encore bu
chacun trois verres, il déclara, en s'en allant:

---

1. Sans embarras: sans difficulté.
2. Fût: petit tonneau d'alcool.
3. Grise: enivrée.
4. Barrique: tonneau.

«Et puis, vous savez, quand n'y en aura pu, y en a encore ; n'vous gênez point. Je n'suis pas regardant. Pu tôt que ce sera
175 fini, pu que je serai content. »

Et il remonta dans son tilbury.

Il revint quatre jours plus tard. La vieille était devant sa porte, occupée à couper le pain de la soupe.

Il s'approcha, lui dit bonjour, lui parla dans le nez, histoire
180 de sentir son haleine. Et il reconnut un souffle d'alcool. Alors son visage s'éclaira.

« Vous m'offrirez bien un verre de fil ? » dit-il.

Et ils trinquèrent deux ou trois fois.

Mais bientôt le bruit courut dans la contrée que la mère Magloire
185 s'ivrognait[1] toute seule. On la ramassait tantôt dans sa cuisine, tantôt dans sa cour, tantôt dans les chemins des environs, et il fallait la rapporter chez elle, inerte[2] comme un cadavre.

Chicot n'allait plus chez elle, et, quand on lui parlait de la paysanne, il murmurait avec un visage triste :
190 « C'est-il pas malheureux, à son âge, d'avoir pris c't'habitude-là ? Voyez-vous, quand on est vieux, y a pas de ressource[3]. Ça finira bien par lui jouer un mauvais tour ! »

Ça lui joua un mauvais tour, en effet. Elle mourut l'hiver suivant, vers la Noël, étant tombée, soûle, dans la neige.
195 Et maître Chicot hérita de la ferme, en déclarant :

« C't'e manante[4], si alle s'était point boissonnée[5], alle en avait bien pour dix ans de plus. »

---

1. S'ivrognait : se soûlait.
2. Inerte : sans mouvement.
3. Y a pas de ressource : on n'a plus l'énergie pour s'en sortir.
4. Manante : femme grossière (injure).
5. Boissonnée : soûlée (familier).

Un quiz pour commencer

Cochez les bonnes réponses.

1 *Dans* Une victime de la réclame, *à quoi se fie Claude pour être heureux dans la vie ?*

☐ Aux conseils de ses amis.

☐ À des préceptes philosophiques.

☐ À la publicité.

2 *Pourquoi Claude devient-il un jour parfaitement chauve ?*

☐ Parce qu'il veut être à la mode.

☐ Parce qu'un produit chimique a fait tomber ses cheveux.

☐ Parce que son coiffeur n'a pas réussi sa coupe.

3 *Quelles conséquences ont les différents produits de consommation achetés par Claude tout au long de sa vie ?*

☐ Ces produits l'ont rendu plus heureux.

☐ Ces produits n'ont rien changé à sa vie.

☐ Ces produits ont fini par le tuer.

4 *Dans* La Parure, *pourquoi Mathilde Loisel n'est-elle pas heureuse ?*

❑ Parce que son époux n'est pas aimable avec elle.

❑ Parce qu'elle aurait aimé être riche.

❑ Parce que son amie Mme Forestier ne lui adresse plus la parole.

5 *Combien de temps les Loisel mettent-ils pour rembourser leurs dettes ?*

❑ Six mois.

❑ Trois ans.

❑ Dix ans.

6 *Que révèle Mme Forestier à Mathilde à la fin de la nouvelle ?*

❑ Qu'elle aurait pardonné à Mathilde la perte de son bijou si elle lui avait avoué.

❑ Que sa parure a été retrouvée dans les couloirs du ministère.

❑ Que la parure prêtée à Mathilde était fausse et valait peu d'argent.

7 *Dans* Le Petit Fût, *que propose maître Chicot à la mère Magloire ?*

❑ De lui verser une rente pour acheter la maison qu'elle devra lui céder à sa mort.

❑ De partager sa propriété avec lui.

❑ De lui faire don de sa ferme en échange de repas gratuits dans son auberge.

8 *Quel stratagème maître Chicot met-il en place pour que la mère Magloire meure rapidement ?*

❑ Il essaie de la faire chuter dans les escaliers de sa maison.

❑ Il met du poison dans les plats qu'il lui sert dans son auberge.

❑ Il lui offre de l'eau-de-vie et la pousse à l'alcoolisme.

Des questions pour aller plus loin

→ *Analyser le regard porté par les nouvellistes sur la société du XIXᵉ siècle*

La peinture des défauts humains

1 Dans *Une victime de la réclame*, résumez le projet de vie que Claude énonce dans son monologue intérieur (l. 3-9) et sa conception de la publicité. Quel trait de caractère du personnage son comportement révèle-t-il par la suite ?

2 Dans les lignes 47 à 58, comment les ouvrages qu'achète Claude sont-ils désignés ? Pourquoi le narrateur le qualifie-t-il de « complètement idiot » (l. 58) ?

3 Dans *La Parure*, quel sentiment éprouve Mathilde envers « une camarade de couvent » (l. 42) ? Pour quelles raisons ne veut-elle plus la voir ?

4 Selon vous, quels défauts ont en commun maître Chicot et la mère Magloire dans *Le Petit Fût* ? Qui remporte la négociation pour le rachat de la ferme ? Justifiez votre réponse.

5 Que révèle le stratagème de maître Chicot sur sa personnalité ? Cela lui permet-il d'obtenir satisfaction ?

6 Dans quelle mesure peut-on dire que les personnages de ces trois nouvelles sont caricaturaux ? Associez chacun d'eux au « type » qu'il incarne.

Claude
(*Une victime de la réclame*)   ●   ●   Le manipulateur

Mathilde
(*La Parure*)   ●   ●   Le naïf

Maître Chicot
(*Le Petit Fût*)   ●   ●   L'avare

La mère Magloire
(*Le Petit Fût*)   ●   ●   L'ambitieuse

Ironie et retournements de situation

7 En quoi le sort de Claude dans *Une victime de la réclame* est-il ironique ? Expliquez comment sa quête du bonheur se retourne contre lui.

8 Observez les interventions directes du narrateur d'*Une victime de la réclame* et les adjectifs qu'il emploie pour caractériser Claude dans la nouvelle : comment son ironie à l'égard du personnage se traduit-elle ?

9 Dans *La Parure*, que représentait le bal pour Mathilde avant qu'elle ne s'y rende ? Pourquoi peut-on dire que cet événement entraîne la chute sociale de la jeune femme ?

10 Dans quelle mesure peut-on dire que la mère Magloire est elle-même prise à son propre jeu dans *Le Petit Fût* ?

11 Selon vous, quelle leçon peut-on tirer de chaque nouvelle ? Dans quelle mesure ces textes ont-ils une dimension argumentative ?

12 Observez le portrait de Mathilde dans les trois premiers paragraphes. Pourquoi la jeune femme « souffrait-[elle] sans cesse » (l. 13) ?

13 Comment Mathilde se sent-elle le soir du bal ? Justifiez votre réponse en relevant le champ lexical qui domine ce passage (l. 136-146).

14 Dans les lignes 243 à 255, relevez les termes et expressions qui évoquent la misère des Loisel. Quelle figure de style le narrateur emploie-t-il pour présenter la nouvelle vie de Mathilde ? À votre avis, pourquoi ?

15 Quel effet la révélation finale de Mme Forestier produit-elle chez le lecteur ? Selon vous, pour quelle raison la réaction de Mathilde n'est-elle pas racontée ?

✔ *Rappelez-vous !*

• Si la nouvelle réaliste entend représenter fidèlement le réel, elle développe aussi une **analyse fine des comportements humains** et offre une **vision critique de la société** du XIXe siècle. Les **défauts des hommes** y sont moqués et, au travers des situations et des personnages mis en scène, les auteurs dénoncent avec **ironie** les travers de leurs contemporains.

• La nouvelle est donc un texte narratif qui peut contenir un **discours argumentatif implicite**. Les auteurs y condamnent, souvent avec humour, les dérives de la société et encouragent le lecteur à exercer à son tour un **regard critique** sur le monde qui l'entoure.

De la lecture à l'écriture

 Des mots pour mieux écrire

1 *Recopiez le tableau suivant et complétez-le en classant chaque adjectif en fonction de son sens mélioratif ou péjoratif.*

| Économe | Généreux | Hardi | Jaloux |

| Malhonnête | Manipulateur | Naïf | Vaillant |

Sens mélioratif (qualité)	Sens péjoratif (défaut)

2 *Reliez chacun des mots suivants à son antonyme. Vous pouvez vous aider d'un dictionnaire.*

Impatience • • Désintéressement

Cupidité • • Probité

Superficialité • • Authenticité

Malhonnêteté • • Audace

Poltronnerie • • Patience

À vous d'écrire

1 Comme Claude dans *Une victime de la réclame*, êtes-vous influencé(e) par la publicité lorsque vous achetez des produits de consommation ?

Consigne. Vous présenterez votre réflexion dans un texte argumenté d'une trentaine de lignes rédigé à la première personne.

2 Imaginez une suite à *La Parure* : de retour chez elle après sa discussion avec Mme Forestier, Mathilde raconte cette rencontre à son mari et lui fait part de ses sentiments.

Consigne. Votre texte narratif d'une trentaine de lignes conservera le point de vue employé dans la nouvelle (omniscient).

Du texte à l'image

• Edgar Degas, *L'Absinthe ou Dans un café*, 1875-1876, huile sur toile, 92 x 68,5 cm, musée d'Orsay, Paris.
• James Tissot, *L'Ambitieuse*, 1883-1885, huile sur toile, 90 x 50 cm, Albright-Know Art Gallery, Buffalo.
➡ **Images reproduites en fin d'ouvrage, au verso de la couverture.**

👁 *Lire l'image*

1 Décrivez précisément le tableau d'Edgar Degas (composition, couleurs, attitude des personnages, point de vue adopté). Quels éléments permettent de créer un effet de réel ?

2 Comment le personnage féminin représenté sur la toile de James Tissot est-il mis en valeur ? Proposez une explication au titre de cette œuvre.

📄 *Comparer le texte et l'image*

3 De quels personnages féminins de cette partie du recueil pouvez-vous rapprocher les femmes représentées dans ces deux tableaux ? Justifiez votre réponse.

4 Quels comportements de l'époque ces deux œuvres illustrent-elles ? Donnent-elles une vision positive ou négative de la femme au XIXᵉ siècle ?

✏ *À vous de créer*

5 🖱 En faisant une recherche sur Internet, trouvez l'identité des modèles dont s'est inspiré Edgar Degas pour peindre les personnages de *L'Absinthe*. Ont-ils, selon vous, apprécié d'être associés à la scène représentée ? Rédigez la lettre qu'ils auraient pu écrire au peintre.

Arrêt sur l'œuvre

Des questions sur l'ensemble du recueil

Des nouvelles réalistes

1 Relisez les introductions qui figurent sous le titre de chaque nouvelle : dans quel type de support sont-elles majoritairement parues avant d'être publiées sous forme de recueil ?

2 Dans quel(s) lieux(s) se déroule chaque nouvelle ? En vous aidant des notes de bas de page ou d'Internet si nécessaire, dites si ces lieux sont réels ou imaginaires : que constatez-vous ?

3 Quelles nouvelles racontent des événements présentés comme réels ? Justifiez votre réponse à l'aide d'indices relevés dans les textes.

4 Quelles sont les deux classes sociales caractéristiques du XIXe siècle majoritairement représentées dans ces nouvelles ? Quelles particularités de chaque classe sont mises en valeur ?

Des chutes surprenantes

5 Peut-on dire que la fin des nouvelles *Aux champs*, *Un mariage d'amour* et *La Parure* repose sur un retournement de situation ?

6 En vous appuyant sur le dénouement de chaque nouvelle, dites à quelle fin vous vous attendiez le moins. Quel(s) indice(s) aurai(en)t cependant pu vous guider ?

7 Dans quelle(s) nouvelle(s) le titre ne prend-il tout son sens qu'avec la chute ?

L'analyse des comportements humains

8 Complétez le tableau suivant en précisant les défauts que certains personnages ont en commun.

Personnages des nouvelles	Défauts dénoncés
Charlot Tuvache (*Aux champs*) Mathilde Loisel (*La Parure*)	
Fortunato Falcone (*Mateo Falcone*) M. et Mme Vallin (*Aux champs*) Maître Chicot (*Le Petit Fût*)	

9 Dans quelles nouvelles de ce recueil l'argent occupe-t-il une place importante ? Joue-t-il un rôle négatif ou positif dans les relations entre les personnages ?

10 Dans *Le Papa de Simon*, *Un mariage d'amour*, *Histoire vraie* et *La Parure*, en quoi les normes et les règles de la société contrarient-elles le bonheur des personnages ?

11 Quels personnages du recueil présentent des qualités qui, poussées à leur extrême, peuvent finalement être considérées comme des défauts ? Justifiez votre réponse.

12 Résumez la fin de chaque nouvelle. Quelle vision de la société et des comportements humains traduisent-elles ?

Des mots pour mieux écrire

Lexique de la richesse et de la pauvreté

Arrêt sur l'œuvre

Aisance: situation financière permettant une vie matérielle confortable.

Aumône: don fait aux pauvres par charité.

Cupidité: désir d'accroître ses richesses, de posséder toujours plus.

Déclassé: qui a perdu son rang de noblesse, généralement suite à sa ruine financière.

Dénuement: grande pauvreté.

Dette: somme d'argent due à une personne.

Économe: qui veille à limiter ses dépenses.

Faste: étalage de signes extérieurs de richesse.

Luxe: manière de vivre coûteuse et raffinée.

Misère: état d'extrême pauvreté.

Nécessiteux: personne vivant dans la misère.

Payer des billets: rembourser des dettes.

Pingre: très avare.

Rente: revenus réguliers issus des biens possédés (souvent des terres) et non du travail.

Usurier: personne qui prête de l'argent à des taux extrêmement élevés.

Mots croisés

Tous les mots à placer dans la grille ci-contre se trouvent dans le lexique de la richesse et de la pauvreté.

Horizontalement

1. M. Loisel s'efforce de l'être dans *La Parure* car il gagne peu d'argent au ministère.

2. Dans *Le Petit Fût*, la mère Magloire en fait preuve en exigeant toujours plus d'argent de maître Chicot.

3. Les époux Loisel en ont contracté de nombreuses pour racheter une parure à Mme Forestier.

Verticalement

A. Ce que fait Mateo Falcone pour aider les personnes dans le besoin.

B. État d'extrême pauvreté qui caractérise les Vallin et les Tuvache dans *Aux champs*.

C. Dans *Le Petit Fût*, maître Chicot s'engage à en verser une à la Mère Magloire pour hériter de sa ferme à sa mort.

Lexique de la ville et de la campagne

Arrêt sur l'œuvre

Lexique de la ville

Boulevard : rue très large.
Chaussée : partie de la voie publique où circulent les voitures.
Cocher : conducteur d'une voiture à cheval.
Fiacre : voiture à cheval louée à l'heure ou à la course.
Mansarde : pièce aménagée sous un toit en pente, réservée au logement des domestiques.
Ministère : bâtiment où travaillent les employés d'un ministre.
Urbain : de la ville.

Lexique de la campagne

Chaume : paille qui couvre le toit des maisons.
Chaumière : petite maison rustique et pauvre dont le toit est recouvert de chaume.
Hobereau : petit noble campagnard.
Fumer (son champ) : épandre du fumier sur une terre pour la rendre plus fertile.
Masure : maison misérable, délabrée.
Pâtée : soupe épaisse faite avec peu d'ingrédients.
Rural : de la campagne.

Mots cachés

Retrouvez dans la grille ci-contre tous les mots du lexique de la ville et de la campagne. Les mots peuvent être écrits horizontalement ou verticalement.

R	N	P	R	T	B	O	U	L	E	V	A	R	D
C	H	A	U	M	I	E	R	E	R	B	U	I	N
O	E	T	R	A	L	C	B	M	M	U	R	G	H
C	F	E	A	R	F	V	A	O	A	B	N	V	O
H	A	E	L	T	U	F	I	P	N	I	E	K	B
E	E	M	U	H	M	I	N	I	S	T	E	R	E
R	R	A	O	J	E	A	C	H	A	U	M	E	R
O	S	E	D	C	R	C	D	F	R	E	L	S	E
R	U	M	A	S	U	R	E	J	D	H	I	U	A
C	H	A	U	S	S	E	E	I	E	N	D	O	U
Z	I	A	A	U	J	O	M	E	W	C	H	K	L
G	R	A	U	T	O	N	C	R	A	P	I	T	A

À vous de créer

1 *Écrire et mettre en page une nouvelle réaliste*

Par groupes de deux ou trois élèves, vous allez rédiger et mettre en page une nouvelle réaliste d'une trentaine de lignes.

Étape 1. Construction de la nouvelle

– Choisissez le sujet de votre nouvelle.

– Déterminez le type de narration, le cadre spatio-temporel de l'action et caractérisez précisément vos personnages (physiquement et moralement) ainsi que leur environnement.

– Construisez l'intrigue : inventez l'événement qui va faire basculer la vie de votre personnage principal et les différentes péripéties qui s'ensuivent.

– Imaginez une chute inattendue.

Étape 2. Rédaction

– À l'aide d'un logiciel de traitement de texte, écrivez votre récit au passé et insérez un dialogue.

– Consacrez un paragraphe à chaque étape du récit (situation de départ, changement, péripéties, retournement inattendu, situation finale).

– Relisez attentivement votre texte, effectuez les corrections nécessaires (expression, orthographe, conjugaison) et ajustez la mise en page (alinéas, paragraphes…).

– Donnez un titre à votre nouvelle.

Étape 3. Lecture

– Lisez votre nouvelle à vos camarades et observez à leurs réactions l'efficacité de votre chute.

2 *Réaliser l'adaptation cinématographique d'une nouvelle du recueil*

Par groupes de quatre à cinq élèves, réalisez l'adaptation filmique du dénouement de *La Parure*.

Étape 1. Rédaction du scénario

– Relisez la nouvelle de Maupassant et plus particulièrement le passage final où Mathilde Loisel rencontre son ancienne amie Mme Forestier.

– Reportez les éléments de cette scène dans un tableau qui mentionnera les éléments de dialogue, les gestes, les attitudes et le ton adopté par chacun des personnages.

– Déterminez les décors et les costumes, ainsi que les plans choisis (cadrage) et les mouvements de caméra.

Étape 2. Réalisation de l'adaptation filmique

– Répartissez-vous les rôles : réalisateur, script, cadreur, comédiens, etc.

– À l'aide de vos téléphones portables ou d'appareils photo-caméras, filmez la scène en suivant votre scénario.

– Utilisez un logiciel de montage (Windows Movie Maker®, iMovie®...) pour monter votre séquence.

– Comparez-la à l'adaptation de Claude Chabrol dans l'épisode « La Parure » de la série *Chez Maupassant* (réalisée en 2006 pour France 2, avec Cécile de France dans le rôle de Mathilde Loisel et Charley Fouquey dans celui de Jeanne Forestier) que vous pourrez visionner à l'adresse suivante : **www.youtube.com/watch?v=PXL_6bzH3UI.**

Du texte à l'image

Gustave Caillebotte, *Le Pont de l'Europe*, 1876, huile sur toile,
124,7 x 180,6 cm, musée du Petit Palais, Genève.

➡ **Image reproduite en début d'ouvrage, au verso de la couverture.**

👁 *Lire l'image*

1 Décrivez précisément l'image (technique employée, couleurs,
composition, attitude des personnages).

2 Observez le titre et le décor de cette scène : dans quel lieu
se déroule-t-elle ?

3 Quelles sont les différentes catégories sociales représentées
et comment se distinguent-elles ?

📄 *Comparer le texte et l'image*

4 Dans quelle(s) nouvelle(s) de ce groupement la ville est-elle
évoquée ?

5 Quels éléments de ce tableau permettent de l'associer
au mouvement du Réalisme ?

✏ *À vous de créer*

6 🖱 En vous aidant d'Internet ou des ressources de votre CDI,
recherchez le tableau *Rue de Paris, temps de pluie* de Gustave
Caillebotte et comparez-le à celui-ci. Relevez leurs points communs
et leurs différences dans un court paragraphe.

Groupements de textes

Portraits de femmes dans les romans du XIXᵉ siècle

Stendhal, *Le Rouge et le Noir*

Dans ce roman sous-titré *Chronique de 1830*, Stendhal (1783-1842) met en scène l'ambitieux Julien Sorel, fils de paysan destiné à devenir prêtre, qui part finalement à Paris pour être le secrétaire du Marquis de la Môle. Il y rencontre la fille de ce dernier, Mathilde, une jeune mondaine lasse d'être courtisée par de jeunes nobles sans personnalité.

Je suis donc prédestinée à déraisonner[1] ce soir. Puisque je ne suis qu'une femme comme une autre, eh bien ! il faut danser. Elle céda aux instances[2] du marquis de Croisenois[3], qui

---

1. **Prédestinée à déraisonner** : vouée depuis la naissance à tenir des propos incohérents.
2. **Instances** : demandes insistantes.
3. **Marquis de Croisenois** : jeune noble que Mathilde doit épouser.

depuis une heure sollicitait une galope[1]. Pour se distraire de son malheur en philosophie[2], Mathilde voulut être parfaitement séduisante, M. de Croisenois fut ravi.

Mais, ni la danse, ni le désir de plaire à l'un des plus jolis hommes de la cour, rien ne put distraire Mathilde ; il était impossible d'avoir plus de succès. Elle était la reine du bal, elle le voyait, mais avec froideur.

Quelle vie effacée je vais passer avec un être tel que Croisenois, se disait-elle, comme il la ramenait à sa place une heure après… Où est le plaisir pour moi, ajouta-t-elle tristement, si après six mois d'absence, je ne le trouve pas au milieu d'un bal, qui fait l'envie de toutes les femmes de Paris ? Et encore j'y suis environnée[3] des hommages d'une société que je ne puis pas imaginer mieux composée. Il n'y a ici de bourgeois que quelques pairs[4] et un ou deux Julien peut-être. Et cependant, ajoutait-elle avec une tristesse croissante, quels avantages le sort ne m'a-t-il pas donnés : illustration[5], fortune, jeunesse ! hélas ! tout, excepté le bonheur.

Les plus douteux de mes avantages sont encore ceux dont ils m'ont parlé toute la soirée. L'esprit[6], j'y crois, car je leur fais peur évidemment à tous. S'ils osent aborder un sujet sérieux, au bout de cinq minutes de conversation, ils arrivent tout hors d'haleine, et comme faisant une grande découverte à une chose que je leur répète depuis une heure. Je suis belle, j'ai cet avantage pour lequel Mme de Staël[7] eût tout sacrifié, et pourtant il est de fait que je meurs d'ennui. Y a-t-il une raison

---

1. Sollicitait une galope : lui demandait de lui accorder une danse de salon de l'époque.

2. Lors d'une discussion qui précède ce passage, Mathilde a constaté que ses réflexions sur la peine de mort n'avaient pas convaincu son interlocuteur, le comte Altamira.

3. Environnée : entourée.

4. Pairs : membres de la Chambre des Pairs (Chambre haute du Parlement sous la monarchie de Juillet (1830-1848)).

5. Illustration : famille illustre.

6. Esprit : ici, intelligence.

7. Madame de Staël (1766-1817) : écrivaine française ayant popularisé les œuvres des romantiques allemands.

pour que je m'ennuie moins quand j'aurai changé mon nom pour celui du marquis de Croisenois ?

Mais, mon Dieu ! ajouta-t-elle presque avec l'envie de pleurer, n'est-ce pas un homme parfait ? C'est le chef-d'œuvre de l'éducation de ce siècle ; on ne peut le regarder sans qu'il trouve une chose aimable et même spirituelle[1] à vous dire : il est brave... Mais ce Sorel est singulier, se dit-elle, et son œil quittait l'air morne[2] pour l'air fâché. Je l'ai averti que j'avais à lui parler, et il ne daigne pas reparaître.

Stendhal, *Le Rouge et le Noir* [1830],
Gallimard, « La bibliothèque Gallimard », 1999.

Jules Barbey d'Aurevilly, *Une vieille maîtresse*

Ce roman de Jules Barbey d'Aurevilly (1808-1889) retrace la relation amoureuse naissante entre le jeune dandy Ryno de Marigny et la chaste Hermangarde de Polastron. Pour vivre cet amour, Ryno doit rompre avec sa maîtresse depuis dix ans, la Vellini, dont il ne parvient toutefois pas à se séparer tant l'attraction qu'elle exerce sur lui est grande, ainsi qu'en témoigne la description suivante.

« J'eus beau la regarder avec toute l'impartialité[3] qui était en moi, – reprit Marigny, – pour m'expliquer un peu davantage l'asservissement[4] de mon pauvre ami de Mareuil, je restai dans mon opinion de la veille. C'était un visage irrégulier. Elle était vêtue d'une robe de coupe étrangère, de satin sombre à reflets verts, qui découvrait des épaules très fines d'attache, il est vrai, mais sans grasse plénitude et sans mollesse. On eût dit les épaules bronzées d'une enfant qui n'est pas formée[5] encore. Ses cheveux, tordus sur sa tête, étaient retenus par

---

1. **Spirituelle** : qui fait preuve d'esprit, d'intelligence.
2. **Morne** : triste, maussade.
3. **Impartialité** : neutralité.
4. **Asservissement** : état de dépendance absolue.
5. **Qui n'est pas formée** : qui n'est pas encore une femme.

des velours verts. Deux émeraudes[1] brillaient à ses oreilles, et des bracelets – faits de cette pierre mystérieuse – s'enroulaient comme des aspics[2] autour de ses bras olivâtres[3]. Elle tenait à la main l'éventail de son pays, de satin noir et sans paillettes, ne montrant au-dessus que deux yeux noirs, à la paupière lourde et aux rayons engourdis. Comme la conversation n'était pas très animée et qu'elle n'y prenait aucune part, j'eus le temps de l'examiner et de la détailler comme un tableau ou une statue. Le souper, qu'on annonça, interrompit mon examen. [...]

« Deux heures après, marquise, je la comprenais bien davantage, ou plutôt, moi, je ne me comprenais plus ! Ah ! c'était vraiment par le mouvement que cette femme était reine et reine absolue, *Reinanetta*, comme on dit dans la langue de son pays ! À ce souper étincelant et brûlant, donné pour elle, il fallut la voir et l'entendre !!! D'autres sensations, d'autres sentiments, le bonheur, la possession, et les mille désenchantements qui suivent l'enchantement épuisé, n'ont pu éteindre ce souvenir. D'où cette vie subite lui venait-elle ? Était-ce de la coupe où elle trempait sa lèvre avec une sensualité[4] pleine de flamme ? Était-ce de l'esprit[5] que répandaient alors, par torrents, ces spirituels et effrénés viveurs[6], excités par la présence de cette Sabran[7] espagnole ? Qui le savait ? Qui pouvait le dire ? Même moi, qui ai pressé depuis toute cette vie sur mon cœur, je l'ai ignoré.

Jules Barbey d'Aurevilly, *Une vieille maîtresse* [1851],
Gallimard, « Folio classique », 2007.

1. **Émeraudes** : pierres précieuses de couleur verte.
2. **Aspics** : serpents.
3. **Olivâtres** : ici, mats, halés.
4. **Sensualité** : attitude pleine de charme et de séduction.
5. **Esprit** : ici, intelligence.
6. **Spirituels et effrénés viveurs** : personnes à l'esprit vif qui mènent une vie immodérée de plaisirs.
7. **Sabran** : la comtesse de Sabran (1693-1768), maîtresse du Régent (Philippe d'Orléans, qui assura la régence après la mort de Louis XIV en 1715, jusqu'à la majorité de Louis XV, en 1723), était célèbre pour son esprit et sa séduction.

Honoré de Balzac, *Eugénie Grandet*

L'héroïne éponyme de ce roman d'Honoré de Balzac (1799-1850) est une jeune femme naïve, élevée par un père sévère et avare, qui tombe amoureuse de son cousin, Charles Grandet. Dans le portrait qui suit, l'auteur met l'accent sur le physique atypique de la jeune femme, loin des standards esthétiques de l'époque, mais d'une beauté éminemment artistique.

Eugénie appartenait bien à ce type d'enfants[1] fortement constitués[2], comme ils le sont dans la petite bourgeoisie, et dont les beautés paraissent vulgaires ; mais si elle ressemblait à la Vénus de Milo[3], ses formes étaient ennoblies par cette suavité du sentiment chrétien[4] qui purifie la femme et lui donne une distinction[5] inconnue aux sculpteurs anciens. Elle avait une tête énorme, le front masculin mais délicat de Jupiter de Phidias[6], et des yeux gris auxquels sa chaste[7] vie, en s'y portant tout entière, imprimait une lumière jaillissante. Les traits de son visage rond, jadis frais et rose, avaient été grossis par une petite vérole[8] assez clémente[9] pour n'y point laisser de traces, mais qui avait détruit le velouté de la peau, néanmoins si douce et si fine encore que le pur baiser de sa mère y traçait passagèrement une marque rouge. Son nez était un peu trop fort, mais il s'harmonisait avec une bouche d'un rouge de minium[10], dont les lèvres à mille

---

1. Enfants : ici, jeunes personnes.
2. Fortement constitués : à la solide constitution physique.
3. Vénus de Milo : sculpture grecque (vers 130-100 av. J.-C.) représentant la déesse de l'amour Aphrodite (Vénus pour les Romains) et découverte en 1820 sur l'île de Milos.
4. Ennoblies par cette suavité du sentiment chrétien : embellies par la douceur que confère la foi chrétienne.
5. Distinction : manières élégantes et raffinées.
6. Jupiter de Phidias : statue d'or et d'ivoire représentant le dieu des dieux dans la mythologie romaine, Jupiter, réalisée par le sculpteur grec Phidias au ve siècle av. J.-C.
7. Chaste : pure.
8. Petite vérole : maladie infectieuse caractérisée par des éruptions de pustules.
9. Clémente : douce.
10. Minium : pigment de couleur rouge orangée.

raies étaient pleines d'amour et de bonté. Le col[1] avait une rondeur parfaite. Le corsage bombé[2], soigneusement voilé, attirait le regard et faisait rêver ; il manquait sans doute un peu de grâce due à la toilette[3] ; mais pour les connaisseurs, la non-flexibilité[4] de cette haute taille devait être un charme. Eugénie, grande et forte, n'avait donc rien du joli qui plaît aux masses ; mais elle était belle de cette beauté si facile à reconnaître, et dont s'éprennent[5] seulement les artistes. Le peintre qui cherche ici-bas un type à la céleste pureté de Marie[6], qui demande à toute la nature féminine ces yeux modestement fiers devinés par Raphaël[7], ces lignes souvent dues aux hasards de la conception, mais qu'une vie chrétienne et pudique[8] peut seule conserver ou faire acquérir ; ce peintre, amoureux d'un si rare modèle, eût trouvé tout à coup dans le visage d'Eugénie la noblesse innée[9] qui s'ignore ; il eût vu sous un front calme un monde d'amour ; et, dans la coupe des yeux, dans l'habitude des paupières, le je-ne-sais-quoi divin. Ses traits, les contours de sa tête que l'expression du plaisir n'avait jamais altérés[10] ni fatigués, ressemblaient aux lignes d'horizon si doucement tranchées dans le lointain des lacs tranquilles. Cette physionomie[11] calme, colorée, bordée de lueur comme une jolie fleur éclose, reposait l'âme, communiquait le charme de la conscience qui s'y reflétait, et commandait le regard. Eugénie était encore sur la rive de la vie où fleurissent encore les illusions enfantines,

---

1. **Col** : ici, cou.
2. **Bombé** : arrondi par sa poitrine.
3. **Toilette** : tenue vestimentaire.
4. **Non-flexibilité** : raideur.
5. **S'éprennent** : tombent amoureux.
6. **Marie** : la Vierge Marie, mère de Jésus dans la religion chrétienne catholique et orthodoxe.
7. **Raphaël** (1483-1520) : architecte et peintre italien de la Renaissance.
8. **Pudique** : pleine de discrétion, retenue.
9. **Innée** : de naissance.
10. **Altérés** : dégradés.
11. **Physionomie** : ensemble des traits du visage exprimant la personnalité, l'humeur.

où se cueillent les marguerites avec des délices plus tard inconnues. Aussi se dit-elle en se mirant[1], sans savoir encore ce qu'était l'amour :

– Je suis trop laide, il ne fera pas attention à moi.

Honoré de Balzac, *Eugénie Grandet* [1855],
Gallimard, « Folio classique », 1999.

Victor Hugo, *Les Misérables*

Ce roman de Victor Hugo (1802-1885) raconte les destins croisés de misérables de Paris ou de la province française du XIXᵉ siècle. Dans cette vaste fresque, Fantine, une belle jeune femme partie chercher fortune à Paris, est abandonnée par l'homme qu'elle aime et doit élever seule leur fille Cosette. Elle décide alors de regagner sa ville natale de Montreuil-sur-mer pour y trouver du travail et confie sa fille à un couple d'aubergistes, les Thénardier.

Elle avait la mise[2] d'une ouvrière qui tend à redevenir paysanne. Elle était jeune. Était-elle belle ? peut-être ; mais avec cette mise il n'y paraissait pas. Ses cheveux, d'où s'échappait une mèche blonde, semblaient fort épais, mais disparaissaient sévèrement sous une coiffe de béguine[3], laide, serrée, étroite, et nouée au menton. Le rire montre de belles dents quand on en a ; mais elle ne riait point. Ses yeux ne semblaient pas être secs depuis très longtemps. Elle était pâle, elle avait l'air très lasse[4] et un peu malade ; elle regardait sa fille endormie dans ses bras avec cet air particulier d'une mère qui a nourri son enfant. Un large mouchoir bleu, comme ceux où se mouchent les invalides, plié en fichu[5], masquait lourdement sa taille. Elle avait des mains hâlées[6] et toutes piquées de taches de rous-

---

1. **Se mirant** : se regardant.
2. **Mise** : allure, façon de s'habiller.
3. **Coiffe de béguine** : coiffe blanche de religieuse.
4. **Lasse** : fatiguée.
5. **Fichu** : triangle d'étoffe dont les femmes se couvraient la tête ou les épaules.
6. **Hâlées** : brunies par le soleil.

seur, l'index durci et déchiqueté par l'aiguille, une mante[1] brune de laine bourrue[2], une robe de toile et de gros souliers. C'était Fantine.

C'était Fantine. Difficile à reconnaître. Pourtant, à l'examiner attentivement, elle avait toujours sa beauté. Un pli triste, qui ressemblait à un commencement d'ironie, ridait sa joue droite. [...]

La voyageuse raconta son histoire, un peu modifiée :

Qu'elle était ouvrière ; que son mari était mort ; que le travail lui manquait à Paris, et qu'elle allait en chercher ailleurs ; dans son pays ; qu'elle avait quitté Paris, le matin même, à pied ; que, comme elle portait son enfant, se sentant fatiguée, et ayant rencontré la voiture de Villemomble elle y était montée ; que de Villemomble elle était venue à Montfermeil[3] à pied, que la petite avait un peu marché, mais pas beaucoup, c'est si jeune, et qu'il avait fallu la prendre, et que le bijou s'était endormi.

Et sur ce mot-là elle donna à sa fille un baiser passionné qui la réveilla.

Victor Hugo, *Les Misérables* [1862], Belin-Gallimard, « Classico », 2014.

Gustave Flaubert, *L'Éducation sentimentale*

Le héros de Flaubert (1821-1880), le jeune Frédéric Moreau, quitte Nogent-sur-Seine pour étudier le droit à Paris. Sur le bateau qui relie sa ville natale à la capitale, il rencontre l'épouse d'un riche marchand d'art, Marie Arnoux, dont il tombe éperdument amoureux.

Ce fut comme une apparition :

Elle était assise, au milieu du banc, toute seule ; ou du moins il ne distingua personne, dans l'éblouissement que lui

---

1. Mante : vêtement ample et sans manche porté par-dessus d'autres vêtements pour tenir chaud.
2. Bourrue : grossière.
3. Villemomble, Montfermeil : villes de la région parisienne, situées à environ sept kilomètres l'une de l'autre.

envoyèrent ses yeux. En même temps qu'il passait, elle leva la tête ; il fléchit involontairement les épaules ; et, quand il se fut mis plus loin, du même côté, il la regarda.

Elle avait un large chapeau de paille, avec des rubans roses qui palpitaient au vent, derrière elle. Ses bandeaux[1] noirs, contournant la pointe de ses grands sourcils, descendaient très bas et semblaient presser amoureusement l'ovale de sa figure. Sa robe de mousseline[2] claire, tachetée de petits pois, se répandait à plis nombreux. Elle était en train de broder quelque chose ; et son nez droit, son menton, toute sa personne se découpait sur le fond de l'air bleu.

Comme elle gardait la même attitude, il fit plusieurs tours de droite et de gauche pour dissimuler sa manœuvre ; puis il se planta tout près de son ombrelle, posée contre le banc, et il affectait[3] d'observer une chaloupe[4] sur la rivière.

Jamais il n'avait vu cette splendeur de sa peau brune, la séduction de sa taille, ni cette finesse des doigts que la lumière traversait. Il considérait son panier à ouvrage[5] avec ébahissement[6], comme une chose extraordinaire. Quels étaient son nom, sa demeure, sa vie, son passé ? Il souhaitait connaître les meubles de sa chambre, toutes les robes qu'elle avait portées, les gens qu'elle fréquentait ; et le désir de la possession physique même disparaissait sous une envie plus profonde, dans une curiosité douloureuse qui n'avait pas de limites. [...]

Cependant, un long châle à bandes violettes était placé derrière son dos, sur le bordage[7] de cuivre. Elle avait dû, bien des fois, au milieu de la mer, durant les soirs humides, en envelopper sa taille, s'en couvrir les pieds, dormir dedans ! Mais,

---

1. Bandeaux : cheveux partagés sur le milieu du front et lissés de chaque côté de la tête, selon la mode du xixᵉ siècle.
2. Mousseline : tissu léger et transparent.
3. Affectait : faisait semblant.
4. Chaloupe : petite embarcation.
5. Panier à ouvrage : panier contenant le matériel nécessaire à la couture et à la broderie.
6. Ébahissement : stupéfaction.
7. Bordage : bords d'un bateau.

entraîné par les franges[1], il glissait peu à peu, il allait tomber dans l'eau, Frédéric fit un bond et le rattrapa. Elle lui dit :
– Je vous remercie, monsieur.

Leurs yeux se rencontrèrent.

Gustave Flaubert, *L'Éducation sentimentale* [1869],
Gallimard, « Folio classique », 2005.

Groupements
de textes

Groupement 2

L'argent, cible de la satire du XVIIᵉ siècle à nos jours

Molière, *L'Avare*

Dans cette comédie, Molière (1622-1673) fait une critique cinglante de l'avarice à travers le portrait d'Harpagon, qui tyrannise enfants et domestiques. Venue pour jouer les entremetteuses entre le vieillard et une jeune fille du voisinage dans l'espoir d'obtenir une récompense, Frosine se présente chez lui et est accueillie par le valet La Flèche.

Scène 4
LA FLÈCHE, FROSINE

FROSINE. – Hé ! c'est toi, mon pauvre La Flèche ? D'où vient cette rencontre ?

LA FLÈCHE. – Ah ! ah ! c'est toi, Frosine. Que viens-tu faire ici ?

FROSINE. – Ce que je fais partout ailleurs : m'entremettre d'affaires, me rendre serviable aux gens, et profiter du mieux qu'il

---

1. Franges : fils à l'extrémité du châle.

m'est possible des petits talents que je puis avoir. Tu sais que dans ce monde il faut vivre d'adresse[1], et qu'aux personnes comme moi le Ciel n'a donné d'autres rentes[2] que l'intrigue et que l'industrie[3].

LA FLÈCHE. – As-tu quelque négoce[4] avec le patron du logis?

FROSINE. – Oui, je traite pour lui quelque petite affaire, dont j'espère une récompense.

LA FLÈCHE. – De lui? Ah, ma foi! tu seras bien fine si tu en tires quelque chose; et je te donne avis que l'argent céans[5] est fort cher.

FROSINE. – Il y a de certains services qui touchent merveilleusement[6].

LA FLÈCHE. – Je suis votre valet[7], et tu ne connais pas encore le seigneur Harpagon. Le seigneur Harpagon est de tous les humains l'humain le moins humain, le mortel de tous les mortels le plus dur et le plus serré. Il n'est point de service qui pousse sa reconnaissance jusqu'à lui faire ouvrir les mains. De la louange, de l'estime, de la bienveillance en paroles et de l'amitié tant qu'il vous plaira; mais de l'argent, point d'affaires. Il n'est rien de plus sec et de plus aride que ses bonnes grâces et ses caresses; et *donner* est un mot pour qui il a tant d'aversion[8], qu'il ne dit jamais: *Je vous donne*, mais: *Je vous prête le bonjour.*

FROSINE. – Mon Dieu! je sais l'art de traire les hommes[9]; j'ai le secret de m'ouvrir leur tendresse, de chatouiller leurs cœurs, de trouver les endroits par où ils sont sensibles.

---

1. **Adresse**: habileté.
2. **Rentes**: revenus.
3. **Intrigue**: complot; **industrie**: habileté.
4. **Négoce**: affaire en cours.
5. **Céans**: ici.
6. **Touchent merveilleusement**: rapportent beaucoup d'argent.
7. **Je suis votre valet**: formule de politesse pour exprimer un désaccord.
8. **Aversion**: dégoût.
9. **Traire les hommes**: soutirer de l'argent aux hommes.

LA FLÈCHE. – Bagatelles[1] ici. Je te défie d'attendrir, du côté de l'argent, l'homme dont il est question. Il est Turc[2] là-dessus, mais d'une turquerie à désespérer tout le monde ; et l'on pourrait crever, qu'il n'en branlerait pas[3]. En un mot, il aime l'argent, plus que réputation, qu'honneur et que vertu ; et la vue d'un demandeur lui donne des convulsions[4]. C'est le frapper par son endroit mortel, c'est lui percer le cœur, c'est lui arracher les entrailles ; et si… Mais il revient ; je me retire.

Molière, *L'Avare* [1668], acte II, scène 4,
Belin-Gallimard, « Classico », 2013.

Montesquieu, *Lettres persanes*

Dans ce roman épistolaire de Montesquieu (1689-1755), deux Persans qui séjournent en France, Usbek et Rica, correspondent avec leurs amis restés en Perse ou voyageant en Europe, comme le jeune Rhédi. À travers le regard naïf mais aussi perspicace de ses personnages, l'auteur fustige certains comportements de la société française de son époque.

LETTRE 146
USBEK À RHÉDI.
À Venise.

Tu sais que j'ai longtemps voyagé dans les Indes[5]. J'y ai vu une nation, naturellement généreuse, pervertie[6] en un instant, depuis le dernier de ses sujets jusqu'aux plus grands, par le mauvais exemple d'un ministre. J'y ai vu tout un peuple,

---

1. **Bagatelles** : cela ne sert à rien.
2. **Turc** : cruel, dur (le régime de l'Empire Ottoman était réputé pour sa sévérité).
3. **Il n'en branlerait pas** : il ne bougerait pas.
4. **Convulsions** : tremblements.
5. **Indes** : nom donné à l'Asie du sud et du sud-ouest au XVIIIe siècle
6. **Pervertie** : corrompue.

chez qui la générosité, la probité[1], la candeur[2] et la bonne foi ont passé de tout temps pour les qualités naturelles, devenir tout à coup le dernier des peuples ; le mal se communiquer et n'épargner pas même les membres les plus sains ; les hommes les plus vertueux faire des choses indignes et violer les premiers principes de la justice, sur ce vain[3] prétexte qu'on la leur avait violée.

[...]

J'ai vu naître soudain, dans tous les cœurs, une soif insatiable[4] des richesses. J'ai vu se former en un moment une détestable conjuration[5] de s'enrichir, non par un honnête travail et une généreuse industrie[6], mais par la ruine du prince, de l'État et des concitoyens.

J'ai vu un honnête citoyen, dans ces temps malheureux, ne se coucher qu'en disant : « J'ai ruiné une famille aujourd'hui ; j'en ruinerai une autre demain. »

« Je vais, disait un autre, avec un homme noir qui porte une écritoire à la main et un fer pointu à l'oreille, assassiner tous ceux à qui j'ai de l'obligation[7]. »

Un autre disait : « Je vois que j'accommode[8] mes affaires. Il est vrai que, lorsque j'allai, il y a trois jours, faire un certain paiement, je laissai toute une famille en larmes, que je dissipai[9] la dot[10] de deux honnêtes filles, que j'ôtai l'éducation à un petit garçon. Le père en mourra de douleur, la mère périt de tristesse ; mais je n'ai fait que ce qui est permis par la loi. »

---

1. **Probité** : respect des règles morales.
2. **Candeur** : naïveté.
3. **Vain** : futile, sans fondement.
4. **Insatiable** : que rien ne peut étancher.
5. **Conjuration** : complot.
6. **Industrie** : habileté, savoir-faire.
7. **À qui j'ai de l'obligation** : à qui je dois de l'argent.
8. **J'accommode** : j'arrange.
9. **Dissipai** : dépensai.
10. **Dot** : somme d'argent ou biens qu'une jeune fille apportait à son époux en se mariant.

Quel plus grand crime que celui que commet un ministre[1] lorsqu'il corrompt les mœurs de toute une nation, dégrade les âmes les plus généreuses, ternit l'éclat des dignités, obscurcit la vertu même, et confond la plus haute naissance dans le mépris universel ?

Que dira la postérité[2] lorsqu'il lui faudra rougir de la honte de ses pères ? Que dira le peuple naissant lorsqu'il comparera le fer de ses aïeux avec l'or de ceux à qui il doit immédiatement le jour ? Je ne doute pas que les nobles ne retranchent de leurs quartiers un indigne degré de noblesse, qui les déshonore, et ne laissent la génération présente dans l'affreux néant où elle s'est mise.

De Paris,
le 11 de la lune de Rhamazan 1720[3].

Montesquieu, *Lettres persanes* [1721],
Belin-Gallimard, « Classico », 2013.

Charles Baudelaire, « La fausse monnaie »

Dans ce poème en prose, Charles Baudelaire (1821-1867) met en scène, avec ironie et amertume, les rapports de puissance et de faiblesse que l'argent instaure au sein de la société de ses contemporains dont il blâme la bêtise et la cupidité.

Comme nous nous éloignions du bureau de tabac, mon ami fit un soigneux triage de sa monnaie ; dans la poche gauche de son gilet il glissa de petites pièces d'or ; dans la droite, de petites pièces d'argent ; dans la poche gauche de sa culotte, une masse de gros sols[4], et enfin, dans la droite, une pièce d'argent de deux francs qu'il avait particulièrement examinée.

---

1. Allusion au ministre des Finances de l'époque, l'Écossais John Law, dont le système monétaire (papier-monnaie) a conduit la France à la banqueroute.
2. Postérité : générations futures.
3. Selon le calendrier persan utilisé par Montesquieu pour donner un aspect authentique aux lettres de ses personnages.
4. Sols : sous, ancienne pièce de monnaie.

«Singulière et minutieuse répartition!» me dis-je en moi-même.

Nous fîmes la rencontre d'un pauvre qui nous tendit sa casquette en tremblant. – Je ne connais rien de plus inquiétant que l'éloquence[1] muette de ces yeux suppliants, qui contiennent à la fois, pour l'homme sensible qui sait y lire, tant d'humilité, tant de reproches. Il y trouve quelque chose approchant cette profondeur de sentiment compliqué, dans les yeux larmoyants[2] des chiens qu'on fouette.

L'offrande de mon ami fut beaucoup plus considérable que la mienne, et je lui dis: «Vous avez raison; après le plaisir d'être étonné, il n'en est pas de plus grand que celui de causer une surprise. – C'était la pièce fausse», me répondit-il tranquillement, comme pour se justifier de sa prodigalité[3].

Mais dans mon misérable cerveau, toujours occupé à chercher midi à quatorze heures (de quelle fatigante faculté la nature m'a fait cadeau!), entra soudainement cette idée qu'une pareille conduite, de la part de mon ami, n'était excusable que par le désir de créer un événement dans la vie de ce pauvre diable, peut-être même de connaître les conséquences diverses, funestes[4] ou autres, que peut engendrer une pièce fausse dans la main d'un mendiant. Ne pouvait-elle pas se multiplier en pièces vraies? ne pouvait-elle pas aussi le conduire en prison? Un cabaretier, un boulanger, par exemple, allait peut-être le faire arrêter comme faux-monnayeur ou comme propagateur de fausse monnaie. Tout aussi bien la pièce fausse serait peut-être, pour un pauvre petit spéculateur[5], le germe d'une richesse de quelques jours. Et ainsi ma fantaisie[6] allait son train, prêtant des ailes à l'es-

---

1. Éloquence: aptitude à bien parler, à convaincre.
2. Larmoyants: emplis de larmes.
3. Prodigalité: générosité excessive.
4. Funestes: néfastes, malheureuses.
5. Spéculateur: personne qui se livre à des opérations financières risquées dans le but de faire des bénéfices importants.
6. Fantaisie: imagination.

prit de mon ami et tirant toutes les déductions possibles de toutes les hypothèses possibles.

Mais celui-ci rompit brusquement ma rêverie en reprenant mes propres paroles : «Oui, vous avez raison ; il n'est pas de plaisir plus doux que de surprendre un homme en lui donnant plus qu'il n'espère.»

Je le regardai dans le blanc des yeux, et je fus épouvanté de voir que ses yeux brillaient d'une incontestable candeur[1]. Je vis alors clairement qu'il avait voulu faire à la fois la charité et une bonne affaire ; gagner quarante sols et le cœur de Dieu ; emporter le paradis économiquement ; enfin attraper gratis[2] un brevet d'homme charitable. Je lui aurais presque pardonné le désir de la criminelle jouissance[3] dont je le supposais tout à l'heure capable ; j'aurais trouvé curieux, singulier, qu'il s'amusât à compromettre[4] les pauvres ; mais je ne lui pardonnerai jamais l'ineptie[5] de son calcul. On n'est jamais excusable d'être méchant, mais il y a quelque mérite à savoir qu'on l'est ; et le plus irréparable des vices[6] est de faire le mal par bêtise.

Charles Baudelaire, *Le Spleen de Paris* [1869],
Belin-Gallimard, «Classico», 2012.

---

1. **Candeur** : pureté naïve.
2. **Gratis** : gratuitement.
3. **Jouissance** : plaisir extrême.
4. **Compromettre** : ici, nuire.
5. **Ineptie** : sottise.
6. **Vices** : défauts.

Émile Zola, *La Curée*

Dans ce roman d'Émile Zola (1840-1902), Aristide Rougon a quitté sa province natale pour se rendre dans la capitale « avec des appétits de loup ». À Paris, son frère Eugène, ministre de Louis-Napoléon Bonaparte, profite de sa puissante position pour lui offrir une place à la mairie de Paris.

– Prends, continua-t-il, tu me remercieras un jour. C'est moi qui ai choisi la place, je sais ce que tu peux en tirer... Tu n'auras qu'à regarder et à écouter. Si tu es intelligent, tu comprendras et tu agiras... Maintenant retiens bien ce qu'il me reste à te dire. Nous entrons dans un temps où toutes les fortunes sont possibles. Gagne beaucoup d'argent, je te le permets ; seulement pas de bêtise, pas de scandale trop bruyant, ou je te supprime. »

Cette menace produisit l'effet que ses promesses n'avaient pu amener. Toute la fièvre[1] d'Aristide se ralluma à la pensée de cette fortune dont son frère lui parlait. Il lui sembla qu'on le lâchait enfin dans la mêlée, en l'autorisant à égorger les gens, mais légalement, sans trop les faire crier. Eugène lui donna deux cents francs pour attendre la fin du mois. Puis il resta songeur.

« Je compte changer de nom, dit-il enfin, tu devrais en faire autant... Nous nous gênerions moins.

– Comme tu voudras, répondit tranquillement Aristide.

– Tu n'auras à t'occuper de rien, je me charge des formalités... Veux-tu t'appeler Sicardot, du nom de ta femme ?

Aristide leva les yeux au plafond, répétant, écoutant la musique des syllabes :

– Sicardot..., Aristide Sicardot... Ma foi, non ; c'est ganache[2] et ça sent la faillite[3].

– Cherche autre chose alors, dit Eugène.

---

1. Fièvre : ici, soif de richesses.
2. Ganache : imbécile (familier).
3. Faillite : échec, ruine.

– J'aimerais mieux Sicard tout court, reprit l'autre après un silence ; Aristide Sicard…, pas trop mal…, n'est-ce pas ? peut-être un peu gai… »

Il rêva un instant encore, et, d'un air triomphant :

– J'y suis, j'ai trouvé, cria-t-il… Saccard, Aristide Saccard !… avec deux c… Hein ! Il y a de l'argent dans ce nom-là ; on dirait que l'on compte des pièces de cent sous. »

Eugène avait la plaisanterie féroce. Il congédia son frère en lui disant avec un sourire :

« Oui, un nom à aller au bagne[1] ou à gagner des millions. »

Émile Zola, *La Curée* [1871], Gallimard, « Folioplus classiques », 2014.

Louis Aragon, *Les Beaux Quartiers*

Dans la première partie de ce roman, Louis Aragon (1897-1982) décrit la petite ville imaginaire de Sérianne, qui n'est pas sans rappeler la ville de Verrières dans laquelle Stendhal situe l'intrigue du *Rouge et le Noir* (voir p. 141-143). Comme dans sa jumelle stendhalienne, cette ville de province est marquée par la soif de richesse ou les divers calculs pécuniaires de ses habitants, dont l'économie et le profit relèvent de l'obsession.

Le marchand de couronnes mortuaires[2] tient sur la place du marché, à côté de la succursale[3] des Banques de Province, un magasin mi consacré à l'ornement[4] des tombes, et mi à celui des têtes vivantes : il fait aussi chapelier[5]. Ni l'un ni l'autre de ces deux commerces ne saurait à lui seul nourrir toute la famille, cinq bouches si on compte la bonne, avec le père gâteux[6], Madame, et Gaston qui a douze ans : le monde

---

1. **Bagne** : établissement pénitentiaire de travaux forcés.
2. **Couronnes mortuaires** : gerbes de fleurs préparées pour les enterrements.
3. **Succursale** : établissement qui dépend d'un établissement principal.
4. **Ornement** : décoration.
5. **Chapelier** : artisan qui fabrique des chapeaux.
6. **Gâteux** : sénile, idiot.

est soigneux de ses coiffures par ici, une casquette dure dix ans, les chapeaux mous on en porte si peu, et un melon toute une vie. Ce n'est guère qu'aux jours de marché les paysans des environs qui activent les affaires. Le mardi et le samedi. Pour les couronnes, il n'y a pas de jour, c'est au hasard des décès : ce second trafic vient mettre du beurre dans les épinards[1]. Pas tous les mois qu'on a la chance d'un de ces enterrements comme celui de la vieille dame Cotin, de la rue Longue, pour laquelle un évêque s'était dérangé, pensez donc, mais enfin, bon an mal an[2], avec le coup de collier du début de novembre[3], cela faisait un petit commerce bien régulier, somme toute, malgré l'aléa[4], et la rareté des épidémies dans la ville haute. Ce n'était pas ainsi dans les bas quartiers, où on mourait comme des mouches, mais ces gens-là n'allaient pas chercher leur couronne place du Marché, il y avait un autre marchand, un fleuriste, derrière la gare. Pour ce qu'ils en achetaient d'ailleurs. Des pouilleux[5]. Une couronne, et puis ça va bien, si c'est tout, sauf pourtant quand c'était un ouvrier de la fabrique, parce qu'alors le patron envoyait une gerbe[6] sur laquelle était écrit en arabesque[7] d'argent : *à Y... la Fabrique de Chocolat*. La clientèle de la ville haute, plus sélecte[8], demandait des couronnes de fils de fer, de la perle, et même de la porcelaine ; sur la porcelaine on gagne bien, mais c'est une fois pour toutes. C'est cher, mais c'est bon, ça fait de l'usage. Comme les melons.

Louis Aragon, *Les Beaux Quartiers* [1936], Gallimard, « Folio », 1989.

---

1. **Mettre du beurre dans les épinards** : faire gagner plus d'argent.
2. **Bon an mal an** : en moyenne.
3. La fête des morts a lieu le 1er novembre. À cette occasion, le marchand de couronnes mortuaires a beaucoup de travail.
4. **Aléa** : imprévus.
5. **Pouilleux** : personnes vivant dans une pauvreté et une saleté extrêmes (péjoratif).
6. **Gerbe** : bouquet de fleurs.
7. **Arabesque** : écriture ornée, décorative.
8. **Sélecte** : chic.

Charb, « Oui! Les riches doivent payer!»

Stéphane Charbonnier (1967-2015), dit Charb, dessinateur de presse et journaliste, est l'une des victimes de l'attentat perpétré le 7 janvier 2015 contre le journal satirique *Charlie Hebdo* dont il était le directeur de publication. Il a produit un nombre considérable de caricatures et de dessins en lien avec l'actualité, dans lesquels il moquait les hommes politiques et les institutions religieuses et pointait du doigt les ridicules de ses contemporains.

Charb, « Oui! Les riches doivent payer!»,
Charlie Hebdo n° 1002, 31 août 2011.
© Charb/D. R.

Autour de l'œuvre

Contexte historique et culturel

Une période de bouleversements politiques

Prosper Mérimée (1803-1870), Auguste de Villiers de L'Isle-Adam (1838-1889), Émile Zola (1840-1902) et Guy de Maupassant (1850-1893) vivent et écrivent au cours d'une période politique particulièrement instable qui connaît de nombreux changements de régimes. *Mateo Falcone* paraît en 1829, en pleine Restauration, tandis que les autres nouvelles de ce recueil, publiées de 1866 à 1884, paraissent sous le Second Empire de Louis-Napoléon Bonaparte (sacré empereur sous le nom de Napoléon III à la suite du coup d'État du 2 décembre 1851) et au début de la IIIe République (proclamée en 1870 après la défaite des armées napoléoniennes contre la Prusse à Sedan).

En dépit de l'insurrection violemment réprimée du peuple parisien en 1871 (épisode dit de la Commune), d'une succession remarquable de ministres et de nombreux scandales financiers, le régime républicain s'installe enfin durablement en France, presque un siècle après la Révolution.

De grandes lois marquent les débuts de la IIIᵉ République: en 1881 la liberté de réunion ainsi que la liberté de la presse sont garanties; en 1882, l'instruction devient gratuite, laïque et obligatoire; en 1884, les syndicats sont autorisés. Ces lois témoignent de l'enracinement de la démocratie en France.

L'évolution économique, industrielle et sociale

La France connaît une période d'essor économique à la faveur de la seconde révolution industrielle fondée sur l'usage de l'électricité, des énergies fossiles (pétrole et charbon), de la vapeur et de la chimie. À partir de la seconde moitié du siècle, les progrès techniques, la mécanisation de l'agriculture et la naissance de l'industrie permettent l'accroissement du commerce français mais aussi international. L'espace colonial français est alors le plus vaste du monde après celui du Royaume-Uni. Les échanges s'accroissent grâce au développement des réseaux de transports (multiplication des lignes de chemins de fer et modernisation des ports). Le capitalisme, né au Royaume-Uni et centré sur la production et l'échange des biens, structure peu à peu l'économie française: de grandes banques sont créées et la consommation est fortement encouragée, en particulier par la naissance des grands magasins.

La révolution industrielle modifie en profondeur la société française: la mécanisation de l'agriculture entraîne un exode massif des populations rurales vers les villes industrielles et un accroissement de l'urbanisation. Les ouvriers des usines, dont le travail est extrêmement pénible et très mal rémunéré, se regroupent pour défendre leurs droits contre les bourgeois, qui s'enrichissent grâce au développement de l'industrie.

Durant le régime autoritaire du Second Empire, Napoléon III demande au préfet de Paris, le baron Haussmann, d'assainir et de moderniser la ville. D'importants travaux sont alors engagés pour aménager de grands axes de circulation et des égouts. La capitale devient une ville propre, moderne et ouverte, dont les grandes avenues sont jalonnées d'immeubles élégants.

L'essor de la presse

Grâce au développement de l'instruction, l'alphabétisation gagne les couches les moins favorisées de la société et la lecture devient un loisir populaire, auquel contribue grandement la presse qui se développe et se démocratise dès la seconde moitié du xixe siècle. Grâce aux progrès techniques, les journaux sont tirés en grand nombre et à bas prix. Ils rassemblent, en plus des informations sur l'actualité politique et économique, des chroniques, comptes rendus judiciaires, romans-feuilletons (histoires publiées en plusieurs épisodes) et nouvelles pour lesquels se passionnent les lecteurs. L'essor de la presse a des conséquences importantes sur le monde littéraire : de nombreux écrivains y publient leurs textes, se font connaître du grand public et gagnent ainsi de quoi vivre de leur plume.

Le réel au cœur de l'art

Apparu en 1830 avec des auteurs comme Jules Champfleury (1821-1889) et Louis Duranty (1833-1880), mais surtout Honoré de Balzac (1799-1850) avec *La Comédie Humaine*, le réalisme est un mouvement littéraire qui se construit en opposition au romantisme qui l'a précédé. Les écrivains observent la réalité avec la plus grande attention et entendent la reproduire fidèlement en se documentant et en s'appuyant sur les sciences humaines qui se développent alors (psychologie, sociologie...). Pour se faire le miroir de la société contemporaine, leurs œuvres s'intéressent à des sujets jusque-là considérés comme vulgaires : vie des classes populaires, travail, relations conjugales... En 1840, Zola fonde le courant naturaliste qui approfondit les perspectives du réalisme quant à l'analyse de la société. Pour Maupassant, l'artiste ne doit toutefois pas se contenter de décrire fidèlement le réel, il doit en proposer une retranscription artistique et en donner une interprétation morale.

Influencée par la naissance de la photographie dans la première moitié du siècle, la peinture s'inscrit dans cette mouvance réaliste avec Gustave Courbet (1819-1877), Édouard Manet (1832-1883) ou encore Jean-François Millet (1814-1875) (➡ voir images reproduites en couverture et en début d'ouvrage, au verso de la couverture).

Repères chronologiques

1829	P. Mérimée, *Mateo Falcone* (nouvelle).
1829-1850	H. de Balzac, *La Comédie Humaine* (romans).
1830-1848	**Monarchie de Juillet.**
1839	Invention du daguerréotype, ancêtre de l'appareil photo, par Louis Daguerre.
1848-1851	**IIᵉ République.**
1849-1850	G. Courbet, *Un enterrement à Ornans* (peinture).
1851-1870	**Second Empire.**
1856	Lancement de la revue *Réalisme* par J. Champfleury et L. Duranty.
1857	J.-F. Millet, *Des glaneuses* (peinture).
1862	V. Hugo, *Les Misérables*, (roman). É. Manet, *Le Déjeuner sur l'herbe* (peinture).
1870	**Guerre franco-prussienne. Défaite de Sedan. Proclamation de la IIIᵉ République.**
1871	**Répression de la Commune de Paris.**
1871-1893	É. Zola, *Les Rougon-Macquart* (romans).
1876	G. Caillebotte, *Le Pont de l'Europe* (peinture).
1881	É. Zola, *Le Roman expérimental* (essai). **Loi sur la liberté de la presse.**
1882	**Instruction laïque et obligatoire.**
1883	A. Villiers de L'Isle-Adam, *Contes cruels* (nouvelles). G. de Maupassant, *Conte de la bécasse* (nouvelles). **Exposition universelle à Paris.**
1895	Premières projections de cinématographe par les frères Lumière.

Les grands thèmes de l'œuvre

Une peinture réaliste et critique de la société du XIXᵉ siècle

De la campagne à la ville

Le cadre spatial des nouvelles de ce recueil, qu'il soit urbain ou rural, est toujours dépeint de manière réaliste, à l'aide de nombreux détails descriptifs. Le monde des campagnes est présenté dans tout le dénuement et la misère qui caractérise le mode de vie des familles paysannes au XIXᵉ siècle («Un peu de viande au pot-au-feu, le dimanche, était une fête pour tous», *Aux champs*, p. 40, l. 28-29). Le lecteur y découvre les métiers qui s'y développent (à l'exemple des forgerons, comme Philippe Remy dans *Le Papa de Simon*, ou des aubergistes, comme maître Chicot dans *Le Petit Fût*) ainsi que leur langage propre (patois normand dans *Aux champs* et *Le Petit Fût*, niveau de langue familier dans *Histoire vraie*). D'autres nouvelles développent leur action à la ville, et plus précisément à Paris: la déambulation de Félicien et de la jeune femme sourde dans *L'Inconnue* est l'occasion d'évoquer le quartier de l'Opéra; Mathilde Loisel rencontre son amie Mme Forestier alors qu'elle se promène aux Tuileries. En s'intéressant à ces deux univers, les auteurs offrent aux lecteurs une vision d'ensemble de la société de l'époque, mettant en valeur les catégories sociales les plus modestes comme les plus aisées et soulignant la violence des rapports sociaux.

L'argent au cœur des intrigues

L'argent se trouve au centre des préoccupations de nombreux personnages: dans ces récits, il semble que tout s'achète et se vende, même les enfants (*Aux champs*)! Ainsi, Fortunato met en péril l'honneur de son père et de sa famille en dénonçant un repris de justice en échange d'une montre après avoir, dans un premier temps, accepté de le cacher contre une pièce de monnaie (*Mateo Falcone*). Alors qu'elle rêve d'une vie riche et aisée (« Elle n'avait pas de toilettes, pas de bijoux, rien. Et elle n'aimait que cela ; elle se sentait faite pour cela », p. 106, l. 39-40), Mathilde Loisel finit en bas de l'échelle sociale pour rembourser les dettes contractées suite à la perte de la parure de diamants de son amie (*La Parure*). L'argent est également l'objet d'âpres négociations entre maître Chicot et la mère Magloire dans *Le Petit Fût* et permet à M. de Varnetot de se débarrasser de Rose dans *Histoire vraie*. Les auteurs de ces nouvelles donnent ainsi à voir l'argent comme un critère de distinction des classes sociales mais aussi comme une source de conflit et un des rouages fondamentaux d'une société dans laquelle les rapports humains sont pervertis ou conditionnés par des considérations financières.

Un regard critique sur les hommes

Les questions d'argent révèlent les faiblesses humaines. Car ce sont bien les défauts des hommes que les intrigues de ces nouvelles cherchent à mettre au jour. La naïveté de Claude (*Une victime de la réclame*), qui achète tous les produits de consommation dont les publicités vantent les mérites, le conduit à sa perte. Il en va de même pour la mère Magloire qui, crédule et ravie de boire aux frais de maître Chicot, sombre dans l'alcoolisme et chute mortellement. La cruauté des êtres est également dénoncée. Dans *Le Papa de Simon*, il s'agit de la méchanceté des « garnements » (p. 29, l. 62) qui se moquent de Simon orphelin ; dans *Aux champs*, de la rancœur de la mère Tuvache à l'égard de ses voisins Vallin ; dans *Un mariage d'amour*, de la violence de Jacques qui noie le mari de Suzanne, ou encore, dans *Histoire vraie*, de la manière dont M. Varnetot traite la pauvre Rose. Sont également dénoncées la jalousie (celle de Mathilde à l'égard de Mme Forestier, celle de Mme Tuvache à l'égard des Vallin, etc.) ou la lâcheté (*Un mariage d'amour*, *Histoire vraie*).

Les auteurs abordent le délicat statut de la femme dans la société de leur époque sans idéalisme : dans ces récits, elles sont souvent déconsidérées par les hommes (« C'est bête, les femmes ; une fois qu'elles ont l'amour en tête, elles ne comprennent plus rien » dit

M. de Varnetot dans *Histoire vraie*, p. 72, l. 145-146), naïves et ber-cées d'illusions («une femme n'échappe pas à cette condition de la nature, la surdité mentale», *L'Inconnue*, p. 86, l. 319-320), cupides et avides de richesses (comme Mathilde Loisel, la mère Vallin ou la mère Magloire) ou encore criminelles (comme Suzanne, complice de l'assassinat de son mari). Prisonnières de leur milieu social, elles subissent la loi des hommes et de la société.

En cette fin du XIXᵉ siècle, les nouvellistes posent ainsi un regard sombre et assez désabusé sur leurs semblables, dont bien peu semblent trouver grâce à leurs yeux.

Satire et ironie

Ces travers sont toutefois présentés de façon ironique. Le regard critique et satirique des nouvellistes s'exerce à travers les inter-ventions de la voie narrative dans les récits. Celles-ci peuvent être directes, comme dans les nouvelles de Zola *Une victime de la réclame* («Je ne parlerai pas de toutes les drogues qu'il avala», p. 102, l. 40) et *Un mariage d'amour* («Dès lors, un drame navrant se passa entre les deux misérables. Je ne puis en raconter tous les actes, et je me contente d'indiquer brièvement les principales péripéties», p. 63, l. 114-116), ou implicites (dans la description de l'incipit de *Mateo Falcone*, ou le portrait de Mathilde Loisel dans *La Parure*). Si ce regard semble souvent sévère, il est parfois compatissant. Zola évoque ainsi «Le malheureux Claude» (p. 101, l. 28) dans *Une victime de la réclame*, ou encore le «drame poignant» (p. 64, l. 149) que vivent Jacques et Suzanne dans *Un mariage d'amour*. L'ironie tend donc surtout à souli-gner le ridicule ou les agissements dérisoires des personnages.

La tragédie des sentiments

Des relations familiales difficiles

Dans les premières nouvelles du recueil, l'amour est mis en scène au sein du cercle familial. Les relations entre parents et enfants sont présentées comme complexes et sources de nombreux conflits. L'amour paternel est évoqué dans *Mateo Falcone* et *Le Papa de Simon* selon deux angles différents : chez Mérimée, le père n'hésite pas à tuer son fils au nom de l'honneur, tandis que chez Maupassant, un inconnu accepte de remplacer le père absent par affection pour le petit Simon. Les sentiments des enfants à l'égard de leurs parents sont aussi analysés dans *Aux champs*, révélant leur dimension paradoxale : alors que Jean retrouve avec plaisir et reconnaissance ses parents biologiques qui l'ont vendu à un couple de bourgeois, Charlot reproche aux siens d'avoir privilégié leur amour pour lui à sa réussite sociale et à son bonheur et finit par les abandonner (« Tenez, j'sens bien que je ferais mieux de n'pas rester ici, parce que j'vous le reprocherais du matin au soir », p. 47, l. 209-210)...

Une vision pessimiste de l'amour

L'amour au sein du couple est également l'objet de l'étude sociale et psychologique à laquelle se livrent les écrivains réalistes. Les normes de la société pèsent lourdement sur les personnages : la Blanchotte est au ban de la société pour être mère sans être mariée (*Le Papa de Simon*), M. de Varnetot refuse d'épouser Rose qu'il a pourtant mise enceinte car il n'est pas concevable qu'un maître épouse sa domestique (« Vous comprenez, j'avais mon père et ma mère à Barneville, et ma sœur mariée au marquis d'Yspare, à Rollebec, à deux lieues de Villebon. Pas moyen de blaguer », *Histoire vraie*, p. 69, l. 66-69). Jacques et Suzanne, quant à eux, patientent treize mois, délai imposé après un veuvage, pour se remarier.

Si *Le Papa de Simon* se clôt sur une demande en mariage, la plupart des nouvelles qui évoquent l'amour ont un dénouement malheureux : la belle inconnue de la nouvelle de Villiers de L'Isle-Adam rejette l'amour de Félicien au motif qu'elle est sourde et que l'amour est une « illusion » et non un sentiment durable et authentique (« toute chose n'est qu'ILLUSION ici-bas. Et que toute passion, acceptée et conçue dans la seule sensualité, devient bientôt plus amère que la mort pour ceux qui s'y sont abandonnés », p. 88, l. 364-367); M. de Varnetot chasse sa domestique Rose alors qu'elle porte son enfant (*Histoire vraie*); Jacques et Suzanne commettent un meurtre pour vivre librement leur passion et finissent par se déchirer et se suicider (*Un mariage d'amour*).

La condamnation de l'égoïsme

C'est enfin l'amour de soi que l'on observe dans plusieurs nouvelles: de la simple autosatisfaction de M. de Varnetot dans *Histoire vraie*, au nombrilisme destructeur de Claude dans *Une victime de la réclame*, en passant par le souci de la réputation de Mateo Falcone et la haute opinion d'elle-même dont fait preuve Mathilde dans *La Parure*. L'égoïsme de ces personnages les conduit à une fin tragique dans la plupart des récits de ce recueil.

Ceux-ci traduisent le regard pour le moins pessimiste des auteurs réalistes dont la peinture de la société, présentée dans toute sa diversité, se charge d'une forte dimension morale. Les défauts humains y sont blâmés, et la précarité des destins y est soulignée, notamment grâce à la structure de la nouvelle à chute dont les retournements de situations révèlent la dérisoire fragilité de la condition humaine.

Fenêtres sur...

 Des ouvrages à lire

D'autres nouvelles du XIXᵉ siècle

• Guy de Maupassant, *9 nouvelles légères*, Gallimard, « Folioplus classiques », 2013.
Neuf nouvelles dans lesquelles des situations burlesques viennent alléger la vision pessimiste de l'écrivain. Les récits sont accompagnés d'un dossier sur l'art de la nouvelle, d'un premier groupement de textes sur la guerre et la littérature et d'un deuxième sur de célèbres incipits du genre.

• *Les Soirées de Médan* [1880], Flammarion, « GF », 2015.
Ce recueil rassemble six nouvelles de plusieurs auteurs phares du XIXᵉ siècle, dont Émile Zola (L'Attaque du moulin) *et Guy de Maupassant* (Boule de Suif).

• Auguste de Villiers de L'Isle-Adam, *Contes cruels* [1883], Gallimard, « Folio classique », 1983.
Ce recueil regroupe des nouvelles réalistes qui dénoncent la cupidité (Virginie et Paul) *ou la sottise* (La Machine à gloire) *mais aussi des nouvelles fantastiques comme* Véra *et* La Chevelure.

• Guy de Maupassant, *Contes de la Bécasse* [1883], Gallimard, «Folio classique», 1999.
La nouvelle La Bécasse, *qui ouvre ce recueil, rassemble autour d'un dîner des convives dont les plus chanceux doivent conter une histoire à l'assemblée. Les nouvelles qui suivent livrent donc ces histoires, évoquant diverses thématiques comme l'amour* (La Rempailleuse)*, la religion* (Un Normand) *ou l'avarice* (Pierrot)*.*

• Guy de Maupassant, *Le Horla* [1887], Belin-Gallimard, «Classico», 2011.
Dans cette nouvelle fantastique, le narrateur est aux prises avec un être étrange qui vient le hanter la nuit : créature surnaturelle ou hallucination ? Une œuvre fascinante pour découvrir un autre aspect du style de Maupassant.

Des romans du XIXᵉ siècle

• Victor Hugo, *Les Misérables* [1862], Belin-Gallimard, «Classico», 2014.
Victor Hugo décrit dans ce roman en cinq tomes la misère de personnages dans la France du XIXᵉ siècle, notamment celle du bagnard Jean Valjean, traqué par l'inspecteur Javert, et de la petite Cosette, confiée par sa mère à un couple d'aubergistes particulièrement cruels à son égard, les Thénardier.

• Émile Zola, *Thérèse Raquin* [1867], Belin-Gallimard, «Classico», 2014.
Ce troisième roman d'Émile Zola, qui le fit connaître du grand public, développe l'intrigue de la nouvelle Un mariage d'amour *: Thérèse, une jeune femme adultère, cherche à se débarrasser de son mari Camille pour vivre pleinement sa passion avec son amant Laurent, mais cela n'est pas sans conséquences...*

• **Guy de Maupassant**, *Une vie* [1883], Gallimard,
«Folioplus classiques», 2015.
Ce premier roman de Guy de Maupassant raconte la vie de Jeanne, qui rêve de l'homme idéal... mais dont les attentes vont être déçues. Ce personnage, qui oscille entre idéalisme romantique et ennui profond, est inspiré par celui d'Emma Bovary de Gustave Flaubert.

Des films à voir

(Les œuvres citées ci-dessous sont disponibles en DVD.)

• **Marcel Carné**, *Thérèse Raquin*, 1953, noir et blanc.
Marcel Carné transpose l'action du roman de Zola dans les années 1950 et ajoute à son adaptation un maître-chanteur, témoin du meurtre de Thérèse et de son amant. Ce film a reçu plusieurs prix et la critique a salué l'excellente performance de l'actrice Simone Signoret, dans le rôle de Thérèse.

• **Claude Santelli**, *Histoire vraie*, 1973
Ce téléfilm de Claude Santelli, un des premiers réalisateurs à avoir adapté l'œuvre de Maupassant pour la télévision, est disponible sur le site www.ina.fr. En ajoutant le personnage d'Adélaïde (incarné par Isabelle Huppert), une autre servante ayant pris la place de Rose, le réalisateur souligne le caractère interchangeable des domestiques et le fossé qui les sépare de leurs maîtres.

• **Claude Chabrol**, *Chez Maupassant*, «La Parure», 2006.
Cette série produite par France 2 transpose pour le petit écran des nouvelles de Maupassant mises en scène par de grands réalisateurs. Dans cette adaptation fidèle, Chabrol souligne et oppose la tragique déchéance sociale de Mathilde (Cécile de France) et la constance de son mari Charles Loisel (Thomas Chabrol), toujours confiant et optimiste.

Fenêtres sur...

• Olivier Schatzky, *Chez Maupassant*, « Aux champs », 2008.
Ce téléfilm suit fidèlement la trame narrative du texte original, en mettant l'accent sur le déchirement moral des personnages, notamment lors d'une dernière scène poignante qui confronte le vindicatif Charlot (Guillaume Gouix) à sa mère éplorée (Marianne Basler).

🎧 *Un CD à écouter*

• *Nouvelles de Maupassant*, lues par Robin Renucci, Gallimard « Écoutez lire », 2006.
Ce CD comprend plusieurs nouvelles de Maupassant, dont La Parure, lues par le comédien et réalisateur français Robin Renucci.

🏛 *Des œuvres d'art à découvrir*

(Toutes les œuvres citées ci-dessous peuvent être vues sur Internet.)

La représentation de Paris au XIXᵉ siècle

• Louis Daguerre, *Vue du Pont-Neuf à Paris*, 1836-1839, photographie, musée des Arts et Métiers, Paris.
Louis Daguerre, inventeur du daguerréotype et précurseur dans le domaine de la photographie, saisit dans ce cliché une vue en plongée de la Seine et des ponts qui l'enjambent, depuis la statue d'Henri IV située à l'extrême ouest de l'île de la Cité à Paris.

• Edgar Degas, *L'Orchestre de l'Opéra*, 1870, huile sur toile, musée d'Orsay, Paris.
Dans ce tableau, le peintre occulte ce qui est généralement montré d'une salle d'opéra, à savoir la scène et ses danseuses, pour s'intéresser à la fosse d'orchestre et aux musiciens dont les instruments sont peints avec une grande précision.

• Gustave Caillebotte, *Rue de Paris, temps de pluie*, 1877,
huile sur toile, institut d'art de Chicago.
*Cette toile, dans laquelle un couple de bourgeois déambule dans les
rues de Paris, représente avec un réalisme proche de la photographie
les immeubles haussmanniens qui bordent les grands boulevards pari-
siens et se reflètent dans les flaques de pluie sur les pavés.*

La représentation du monde rural au XIXe siècle

• Jean-François Millet, *Des glaneuses*, 1857, musée d'Orsay, Paris.
*Le peintre représente dans cette toile le travail pénible des glaneuses
qui, courbées, récoltent le blé. À l'arrière-plan de ce tableau, on dis-
tingue les charrettes abondamment chargées de la récolte et le village.*

• Léon-Augustin Lhermitte, *La Paye des moissonneurs*, 1882,
musée d'Orsay, Paris.
*Cette toile connut à l'époque un succès considérable pour le réalisme
scrupuleux de sa représentation des paysans et de leur cadre de vie.*

La représentation de la femme

• Auguste Clésinger, *Femme piquée par un serpent*, 1847, musée
d'Orsay, Paris.
*Cette sculpture très réaliste, inscrivant dans le marbre les moindres
détails de la silhouette féminine, fit scandale lors de sa présentation
au Salon de 1847 : moulée sur le corps d'Apollonie Sabatier, une des
muses de Charles Baudelaire, elle représente une femme nue dans une
pose sensuelle et lascive.*

• Honoré Daumier, *La Blanchisseuse*, 1863, musée d'Orsay, Paris.
*Cette huile sur bois témoigne de l'intérêt que l'artiste portait aux
couches populaires de la capitale. Il s'attarde ici sur un personnage
féminin, la blanchisseuse, accompagnée d'une petite fille munie d'un
battoir qui semble déjà vouée à perpétuer la même tâche que sa mère.*

@ Des sites Internet à consulter

Sur les auteurs du recueil

• http://expositions.bnf.fr/zola

Pour découvrir l'œuvre d'Émile Zola et son contexte de production, avec de nombreuses fiches sur son esthétique, ses personnages ou encore son engagement dans la célèbre affaire Dreyfus.

• http://maupassant.free.fr

L'association des Amis de Guy de Maupassant rassemble les textes ainsi que des éléments biographiques et visuels sur l'auteur.

• www.merimee.culture.fr

Une biographie complète de Prosper Mérimée, à la fois écrivain et inspecteur des monuments historiques, ainsi que de nombreuses ressources sur son œuvre.

Sur la littérature et la presse au XIXᵉ siècle

• www.larousse.fr/encyclopedie/divers/r%C3%A9alisme/86007

Cet article explique de manière complète et détaillée l'esthétique du courant réaliste et les liens qui l'unissent aux sciences humaines comme la biologie, la psychologie, la sociologie et l'histoire.

• http://expositions.bnf.fr/presse/arret/13.htm

Cette exposition virtuelle présente l'histoire de la presse, les moyens techniques et les métiers qui lui permettent d'exister ainsi que les grands textes de loi qui la régissent.

• http://expositions.bnf.fr/daumier/index.htm

Cette exposition virtuelle fait découvrir le parcours et les grandes œuvres du caricaturiste Daumier ainsi que son influence sur les actuels dessinateurs de presse.

Notes

_____

_____

_____

_____

_____

_____

_____

_____

_____

_____

_____

_____

_____

Notes

Notes

Notes

Notes

Notes

Dans la même collection

CLASSICOCOLLÈGE

Jacob et Wilhelm Grimm – *Contes* (73)
Homère – *L'Odyssée* (14)
Victor Hugo – *Claude Gueux* (6)
Victor Hugo – *Les Misérables* (110)
Joseph Kessel – *Le Lion* (38)
Rudyard Kipling – *Le Livre de la Jungle* (133)
Jean de La Fontaine – *Fables* (74)
J.M.G. Le Clézio – *Mondo et trois autres histoires* (34)
Mme Leprince de Beaumont – *La Belle et la Bête* (140)
Jack London – *L'Appel de la forêt* (30)
Marivaux – *L'Île des esclaves* (139)
Guy de Maupassant – *Histoire vraie et autres nouvelles* (7)
Guy de Maupassant – *Le Horla* (54)
Guy de Maupassant – *Nouvelles réalistes* (97)
Prosper Mérimée – *Mateo Falcone* et *La Vénus d'Ille* (8)
Molière – *L'Avare* (51)
Molière – *Le Bourgeois gentilhomme* (62)
Molière – *Les Fourberies de Scapin* (9)
Molière – *George Dandin* (115)
Molière – *Le Malade imaginaire* (42)
Molière – *Le Médecin malgré lui* (13)
Molière – *Le Médecin volant et L'Amour médecin* (52)
Jean Molla – *Sobibor* (32)
Michael Morpurgo – *Cheval de guerre* (154)
Jean-Claude Mourlevat – *Terrienne* (159)
George Orwell – *La Ferme des animaux* (130)
Ovide – *Les Métamorphoses* (37)
Charles Perrault – *Contes* (15)
Edgar Allan Poe – *Trois nouvelles extraordinaires* (16)
Jules Romains – *Knock ou le Triomphe de la médecine* (10)
Edmond Rostand – *Cyrano de Bergerac* (58)
Antoine de Saint-Exupéry – *Lettre à un otage* (11)
William Shakespeare – *Roméo et Juliette* (70)
Sophocle – *Antigone* (81)
John Steinbeck – *Des souris et des hommes* (100)
Robert Louis Stevenson – *L'Étrange Cas du Dr Jekyll et de M. Hyde* (155)
Robert Louis Stevenson – *L'Île au Trésor* (95)
Jean Tardieu – *Quatre courtes pièces* (63)
Michel Tournier – *Vendredi ou la Vie sauvage* (69)
Fred Uhlman – *L'Ami retrouvé* (80)
Paul Verlaine – *Romances sans paroles* (12)
Anne Wiazemsky – *Mon enfant de Berlin* (98)
Émile Zola – *Au Bonheur des Dames* (128)

CLASSICOLYCÉE

Des poèmes et des rêves (anthologie) (105)
Guillaume Apollinaire – *Alcools* (25)
Honoré de Balzac – *La Fille aux yeux d'or* (120)
Honoré de Balzac – *Le Colonel Chabert* (131)
Honoré de Balzac – *Le Père Goriot* (99)
Charles Baudelaire – *Les Fleurs du mal* (21)
Charles Baudelaire – *Le Spleen de Paris* (87)
Beaumarchais – *Le Barbier de Séville* (138)
Beaumarchais – *Le Mariage de Figaro* (65)
Ray Bradbury – *Fahrenheit 451* (66)
Albert Camus – *La Peste* (90)
Emmanuel Carrère – *L'Adversaire* (40)
Corneille – *Le Cid* (129)
Corneille – *Médée* (84)
Dai Sijie – *Balzac et la Petite Tailleuse chinoise* (28)
Robert Desnos – *Corps et Biens* (132)
Denis Diderot – *Supplément au Voyage de Bougainville* (56)
Alexandre Dumas – *Pauline* (121)
Marguerite Duras – *Le Ravissement de Lol V. Stein* (134)
Marguerite Duras – *Un barrage contre le Pacifique* (67)
Paul Éluard – *Capitale de la douleur* (91)
Annie Ernaux – *La Place* (35)
Élisabeth Filhol – *La Centrale* (112)
Francis Scott Fitzgerald – *Gatsby le magnifique* (104)
Gustave Flaubert – *Madame Bovary* (89)
François Garde – *Ce qu'il advint du sauvage blanc* (145)
Romain Gary – *La Vie devant soi* (29)
Romain Gary – *Les Cerfs-volants* (157)
Jean Genet – *Les Bonnes* (45)
Jean Giono – *Un roi sans divertissement* (118)
J.-Cl. Grumberg, Ph. Minyana, N. Renaude – *Trois pièces contemporaines* (24)
Victor Hugo – *Le Dernier Jour d'un condamné* (44)
Victor Hugo – *Anthologie poétique* (124)
Victor Hugo – *Ruy Blas* (19)
Victor Hugo – *Les Contemplations* (163)
Eugène Ionesco – *La Cantatrice chauve* (20)
Eugène Ionesco – *Le roi se meurt* (43)
Laclos – *Les Liaisons dangereuses* (88)
Mme de Lafayette – *La Princesse de Clèves* (71)
Jean de La Fontaine – *Fables* (164)
Marivaux – *L'Île des esclaves* (36)
Marivaux – *Le Jeu de l'amour et du hasard* (55)

Pour obtenir plus d'informations, bénéficier d'offres spéciales enseignants ou nous communiquer vos attentes, renseignez-vous sur **www.collection-classico.com** ou envoyez un courriel à **contact.classico@editions-belin.fr**

Cet ouvrage a été composé par Palimpseste à Paris.
La pâte à papier utilisée pour la fabrication du papier de cet ouvrage
provient de forêts certifiées et gérées durablement.
Iconographie : Any-Claude Médioni.

Imprimé en Espagne par Novoprint (Barcelone)
Dépôt légal : août 2015 – N° d'édition : 70119249-07/Septembre 2021

PEFC PEFC/14-38-00277